STECKBRIEF

Name: Bob Andrews

Alter: 10 J

Adresse: Rocky Beach

was ich mag: Musik hören, ins Kino gehen, im Büchereien stöbern, Cola

was ich nicht mag: für Tante Mathilda aufräumen, Spinnen

was ich mal werden will: Reporter und Detektiv

Kennzeichen: rotes ?

...KBRIEF

...Shaw

...ahre

...Beach

Aathletik

...da auf-ufgaben

...ktiv

...hen

Dieses Buch gehört:

Name:

Alter:

Adresse:

KT-215-009

Die drei ???® Kids
Band 13

Im Reich der Rätsel

Erzählt von Ulf Blanck

Mit Illustrationen von Stefanie Wegner

KOSMOS

Umschlag- und Innenillustrationen von Stefanie Wegner, Soltau.
Farbige Umsetzung: Timo Müller, Hamburg

Unser gesamtes lieferbares Programm und viele
weitere Informationen zu unseren Büchern,
Spielen, Experimentierkästen, DVDs, Autoren und
Aktivitäten finden Sie unter **www.kosmos.de**

»Im Reich der Rätsel« ist der 13. Band der Reihe
»Die drei ???® Kids«, siehe auch S. 128.

© 2002, Franckh-Kosmos Verlags-GmbH & Co. KG, Stuttgart
Alle Rechte vorbehalten
ISBN 978-3-440-09343-6
Redaktion: Silke Arnold
Grundlayout: Friedhelm Steinen-Broo, eStudio Calamar
Gesamtherstellung: Buch & Konzept, Annegret Wehland, München
Printed in the Czech Republic / Imprimé en République tchèque

Die drei ???® Kids
»Im Reich der Rätsel«

Rätselraten

»Kennt einer von euch ein Tier mit drei Buchstaben?«, fragte Peter Shaw und kaute an seinem Bleistift. »Aal«, antwortete Bob gelangweilt. »Aal geht nicht. Der dritte Buchstabe ist ein ›U‹.« »Was ist mit einem Gnu?«, mischte sich Justus ein. »Auch verkehrt. In der Mitte steht schon ein ›A‹.« Daraufhin nahm Bob Andrews seine Brille ab und wischte sie am T-Shirt sauber. »Dann probier es doch mal mit *Schweinefrau*«, grinste er. Entnervt warf Peter den Bleistift in Bobs Richtung. »Mann! Ich hab doch gesagt drei Buchstaben und nicht ...«, dann hielt er inne und wurde rot. Kleinlaut schrieb er ein großes ›S‹ in sein Kreuzworträtsel.

»*Sau*, so was Blödes. Ich hab keine Lust mehr auf den Rätselquatsch.« Er nahm einen Schluck aus seiner Colaflasche, spuckte ihn aber sofort in hohem Bogen wieder aus. »Igitt! Das schmeckt ja wie heißer Himbeertee!« Das war auch kein Wunder, denn in der Kaffeekanne staute sich die Hitze.

Die drei ??? hockten schon den ganzen Vormittag in ihrem Geheimversteck und langweilten sich mit alten Rätselheften. In Wirklichkeit war die Kaffeekanne ein stillgelegter Wassertank für die alten Dampflokomotiven. Von außen sah er aus wie ein

riesiges Holzfass mit einem Henkel — eben wie eine große Kanne. Justus, Peter und Bob hatten sie vor langer Zeit entdeckt und zu ihrer Detektivzentrale ernannt. Man konnte von unten in den Holztank hineinklettern. Der Platz reichte gerade mal aus für drei Personen, diverse Kisten mit wichtigen Dingen und für einen gigantischen Berg an leeren Colaflaschen. Auch Justus Jonas hatte keine Lust mehr auf die Kreuzworträtsel. »Das ist schlimmer als Schule. Es wird Zeit, dass wir mal wieder ein richtiges Rätsel lösen können.« Bob nickte zustimmend. »Genau. Die Hefte spenden wir einem Altersheim. Wir brauchen was mit brennenden Schriftzeichen und wandelnden Mumien.« »Sprechende Totenköpfe und singende Schwerter«, fiel Justus mit ein. »Richtig. Ich will tanzende Einhörner, fliegende Drachen und Tiere mit achtzig Buchstaben!« »Und ich will eine kalte Cola!«, unterbrach ihn Peter. Das brachte Justus auf den Boden der Tatsachen zurück. Er legte die Hand auf seinen knurrenden Bauch und kratzte die letzten Krümel aus einer Kekspackung zusammen. »Ich denke, wir sollten die Sauna verlassen und bei Porter Proviant für den Nachmittag einkaufen.«

Doch ein Blick in ihre Hosentaschen war enttäuschend. Zusammen hatten sie nicht einmal einen halben Dollar. »Dann müssen wir ans Eingemachte«, stöhnte Bob und steckte ein paar der Pfandflaschen in seinen Rucksack. Den Rest der Flaschen verstauten die drei in großen Plastiktüten. Peter kletterte als Erster die Eisenstufen aus der Kaffeekanne hinab. »Reicht mir die Tüten herunter! Aber passt auf, dass mir keine Flasche auf den Kopf fällt!« »Ist doch nicht so schlimm!«, hörte er von oben Bob lachen.

»Was? Wieso ist das nicht schlimm?«, schimpfte Peter zurück. »Na ja, für so eine Flasche gibt es gerade mal zehn Cents Pfand.« Bob lachte noch, als er auf sein Rad stieg. »Sehr witzig«, grummelte Peter.

Die Sonne stand jetzt senkrecht am Himmel und die heiße Luft spiegelte sich auf der asphaltierten Küstenstraße. Aus der Ferne hörte man die schwache Brandung des pazifischen Ozeans. Mit den Tüten am Lenkrad kamen sie nur langsam vorwärts, so dass sie nicht einmal der Fahrtwind abkühlte. Hinter ihnen lag versteckt an einem zugewachsenen Pfad die Kaffeekanne. Von der Straße aus konnte man sie unmöglich erkennen.

Nach zwanzig Minuten erreichten sie das Zentrum von Rocky Beach. Der Marktplatz lag ruhig und verlassen in der prallen Sonne. Nur ein durstiger Hund versuchte aus dem Becken des Springbrunnens Wasser zu schlecken. Als die drei ??? ihre Räder vor dem Brunnen abstellten, trottete er missmutig davon. Porters Laden war das einzige Geschäft, das über die Mittagspause geöffnet hatte. Der Besitzer stand vor seinem Schaufenster und rollte die Markise heraus. »Hallo, Jungs«, lachte er ihnen entgegen. »Wollt ihr mir euer Taschengeld abliefern?« Doch als er die großen Tüten mit den Pfandflaschen bemerkte, verschwand seine gute Laune schlagartig. »Wie soll ich denn dabei reich werden, wenn mir selbst Kinder die Dollars aus der Tasche ziehen? Wenn das so weiter geht, muss ich morgens noch Geld ins Geschäft mitbringen.« Grinsend sortierte er die Flaschen in leere Getränkekisten. »Keine Angst«, beruhigte ihn Peter. »Wir kaufen auch etwas bei Ihnen.« »Glück gehabt, dann muss ich doch noch nicht Konkurs anmelden.« »Konkurs?«, fragte Bob nach. »Ja, das ist, wenn man kein Geld mehr hat. Pleite, Ende, finito, Taschen leer.« Die drei ??? kannten das nur zu gut. Porters Laden hatte eine Klimaanlage und Justus rannte sofort zu der großen Eistruhe. Er steckte seinen Kopf ganz nach unten zwischen die Tiefkühlpizzas und atmete tief ein. »Ah, das tut gut. Die Luft ist so kalt wie am Nordpol.« Peter und Bob machten es ihm nach. Doch als ihre Köpfe wieder zum Vorschein kamen, stand ein braungebrannter Mann neben ihnen. Er trug eine dunkle Sonnenbrille und eine knallrote Baseballkappe. »Kann mir einer sagen, wo es in diesem verstaubten Nest zu einem gewissen Jonas geht?« Justus wischte sich die letzten Schweißtropfen aus dem Gesicht und zeigte auf sich. »Steht vor Ihnen«, sagte er mit fester Stimme. »Was? Du bist Titus Jonas?« »Nicht ganz. Das ist mein Onkel.« Der junge Mann nahm seine Brille ab und legte die Hand auf Justus' Schul-

ter. »Das trifft sich gut. Ich muss nämlich zu ihm. Und da ihr bestimmt nichts Besseres zu tun habt, könnt ihr mir gleich den Weg zeigen, oder?« Die drei ??? traten empört einen Schritt zurück. Doch als der Mann ihnen einen zehn Dollarschein vor die Nase hielt, sahen sie sich unsicher an. Plötzlich ergriff Bob entschlossen die Banknote. »Was soll's.

Fremdenführer ist ein ganz normaler Job. Am Besten fahren Sie uns hinterher. Der Mann setzte wieder seine Sonnenbrille auf.«

»Unsinn, ich brauche doch keine Drahteseleskorte. Ihr fahrt bei mir mit.« Lässig deutete er auf die Straße. Die drei blickten durch das Schaufenster und entdeckten einen roten Sportwagen.

»Cool. Das ist ein echter offener Ferrari«, sagte Peter andächtig.

»Ach was, ist nur Blech. Schönes Blech, aber Blech bleibt Blech. So, genug geredet. Einsteigen!«

Als sie das Geschäft verließen, kam Mister Porter hinter ihnen hergerannt. »He, ihr habt euer Pfandgeld vergessen!«, rief er über den Marktplatz. Justus nahm die Münzen und bedankte sich. »Den Großeinkauf verschieben wir auf's nächste Mal.« Mit einem großen Satz sprang der junge Mann über die Tür in den Wagen. »Ach ja, mein Name ist Stanislav Leymont McMurdock. Ihr könnt mich aber Stanley nennen, wie alle anderen auch.« Bob hielt die Luft an. »Moment, Sie sind

Stanley McMurdock?« »Ja, das ist mein Künstlername in Hollywood.«

Jetzt erst erkannten die drei ??? den bekannten Schauspieler. Bob hatte alle seine Filme gesehen. »Ich glaube es nicht! Stanley McMurdock. Ohne die Kappe und die Brille sehen Sie im Kino ganz anders aus.« McMurdock ließ den Motor aufheulen. »Nun mach mal nicht so ein Theater um die Sache. Ich bin ein ganz normaler Mensch — der Rest ist nur Hollywood. Alles Pappe und Schminke.«

Als er die Beifahrertür öffnete, sah Justus ihn mit großen Augen an. »Moment, das ist ja ein Zweisitzer. Wir sind zu viert!« Doch der Schauspieler lachte nur. »Na und? Ihr seid ja auch nur drei halbe Personen.« Einen Augenblick später saßen Justus, Peter und Bob übereinander auf einem Sitz.

Schwertransporte

»Macht euch nicht so schwer«, stöhnte Peter, als der Sportwagen anfuhr. »Deine Schuld«, schimpfte Bob. »Warum springst du auch gleich als Erster in die Karre?« »Ich weiß nicht, was es da zu lachen gibt. Du sitzt doch selber unter dem dicken Just«, erwiderte Peter. »Ich bin nicht dick!«, hörten sie von oben.

Sie führten Stanley McMurdock durch das kleine Küstenstädtchen vorbei an den weißen Wohnhäusern mit den großen Verandas. Eine ältere Dame blieb fassungslos stehen und blickte dem überfüllten Ferrari mit offenem Mund hinterher.

»Gleich hier vorn müssen Sie durch das breite Tor fahren, Mister McMurdock!«, rief Justus und zeigte auf den Schrottplatz von Onkel Titus.

»Was? Ihr habt mich zu einem Schrottplatz geführt«, wunderte sich der Fahrer und machte eine Vollbremsung. Justus wäre fast über die Windschutzscheibe geflogen. »Wieso, Sie wollten doch zu Titus Jonas. Hier sind wir.« Kopfschüttelnd legte McMurdock wieder den Gang ein und preschte über die Kieselsteine der Hofauffahrt. Tante Mathilda war gerade in der Küche dabei, einen Kirschkuchen zum Abkühlen auf die Fensterbank zu stellen. Als sie ihren Neffen aus dem Ferrari klettern sah, fiel ihr vor Schreck fast die Backform in den Garten. »Ach herrjeh, was habt ihr nun schon wieder angestellt?«, rief sie aufgeregt und rannte aus der Küche. Von dem grollenden Motorgeräusch wurde auch Onkel Titus aus seinem

Mittagsschlaf geweckt. Um diese Zeit machte er immer ein Nickerchen vor dem Schuppen mit seinem Lieblingsschrott.

McMurdock ging direkt auf ihn zu. »Guten Tag, ich bin Stanley. Sind Sie Titus Jonas?« Onkel Titus rieb sich verschlafen die Augen. »Äh, ja, der bin ich.« »Sehr gut, dann haben wir miteinander telefoniert. Wann können wir los?« Jetzt erst begriff Onkel Titus, wen er vor sich hatte. »Verstehe, Sie sind der Kunde mit der Erbschaftsgeschichte. Nun weiß ich wieder.« Mittlerweile stand Tante Mathilda auf der Veranda. »Titus, wer ist dieser Mann? Und warum fährt er mit den Jungs spazieren? Sie saßen zu dritt übereinander — wie im Zirkus. Wenn das Kommissar Reynolds gesehen hätte, dann wäre aber was los gewesen.« Onkel Titus versuchte, sie zu beruhigen. »Reg dich nicht auf, Mathilda. Dies hier ist Mister McMurdock — du weißt schon, der Schauspieler aus Hollywood.« Doch die eindringlichen Worte fanden bei seiner Frau keinen Anklang. »Das ist mir egal. Schauspieler oder nicht Schauspieler. Wer unserem Justus solche Artistennummern beibringt, bekommt es mit mir zu tun.« Stanley McMurdock lachte und nahm seine Sonnenbrille ab. »Genau so ist es richtig, Misses Jonas. Ich bin ein ganz normaler Kunde und verdiene es, von Ihnen ausgeschimpft zu werden.« Jetzt konnte Justus seine Neugierde nicht mehr verbergen. »Kann mir jemand sagen, was hier eigentlich los ist!«, unterbrach er die Unterhaltung.

Kurz darauf saßen sie alle um den runden Tisch auf der schattigen Veranda und Tante Mathilda servierte kalten Saft und ihren berühmten Kirschkuchen. »Aber vorsichtig, der ist noch heiß. Nicht zu viel essen, sonst bekommt man Magenschmerzen!« Die drei ??? hörten nicht auf den gut gemeinten Ratschlag. Jeder von ihnen nahm sich gleich zwei Stücke.

»Also, jetzt erzählen Sie mir doch mal, worum es bei Ihrem Auftrag überhaupt geht«, begann Onkel Titus mit vollem Mund. Stanley McMurdock wischte sich die Krümel vom Mund und griff in seine Hemdtasche. »Hier, zu dieser Adresse muss ich. Es ist das Haus meines Vaters.« »Und was will Ihr Vater von Ihnen?«, fragte Onkel Titus neugierig. »Gar nichts will der — er ist tot.«

Für einen Moment schwiegen alle erschrocken. Justus dachte an seine verstorbenen Eltern. Sie kamen bei einem Unfall ums Leben, als er fünf Jahre alt war. Seitdem lebte er bei Tante Mathilda und Onkel Titus. »Nur keine Tränen!«, unterbrach der Schauspieler die Stille. »Ich habe ihn nur ein Mal gesehen — da war ich gerade zwei Wochen alt. Er hat uns damals gleich nach der Geburt verlassen und ist nach Kalifornien ausgewandert. Schottland war ihm einfach zu kalt — so sagt es zumindest meine Mutter. Sie starb vor vier Jahren.« »Hatten Sie denn noch mehr Geschwister?«, wollte Tante Mathilda wissen. »Ja, meinen zweieiigen Zwillings-bruder. Edward Samuel McMurdock. Er blieb bei meiner Mutter und ich wurde bei einer Pflegefami-lie groß. Vor einigen Jahren bekam ich meine erste

Rolle in einem Film angeboten. Danach hat mich Hollywood entdeckt. So schnell kann es gehen. Ich bin sogar für den Oskar nominiert — das ist Amerika.«

Bob holte sich noch ein Stück Kuchen. »Was war denn das für eine Filmrolle?«, fragte er interessiert. Stanley McMurdock lachte. »Es war ein Reklamefilm für Zahnputzmittel. Ich kann mich sogar noch an den Text erinnern: *Weiße Weste — weiße Zähne.*« Onkel Titus nahm seinen letzten Schluck Saft. »Schön und gut. Aber was kann ich nun für Sie tun, Mister McMurdock?« »Gute Frage, fast hätte ich es bei dem fantastischen Kirschkuchen vergessen.« Tante Mathilda errötete und ordnete nervös ihre Frisur. »Also, ich hab letzte Woche ein Schreiben von einem Notar aus Los Angeles bekommen. Hier habe ich es. Darin heißt es: *Herzliches Beileid bla, bla, bla ... darum bitten wir Sie zu dem besagten Termin ... bla, bla ... zur Testamentseröffnung zu kommen. Hochachtungsvoll Dunken, Dunken & Dunken — Notare.* Mehr weiß ich auch nicht. Mein Erzeuger ist recht vermögend geworden. Er hat irgendwas mit Spielen gemacht. Das kann mir aber egal sein — Geld hab ich selber genug. Ich will nur sehen, ob ich ein paar Andenken mitnehmen kann. Nicht, dass sie glauben, ich sei sentimental — nein. Aber vielleicht gibt es einige Briefe, Bilder oder sonst irgendwas. Und genau dafür brauch ich Sie, Mister Titus. Ich habe Ihre Anzeige im Branchenbuch gelesen: Transporte aller Art. Also, Sie sollen mir helfen den Kram aus dem Haus zu holen. In meinen kleinen Flitzer bekomme ich nichts rein.«

»Du hast eine Anzeige für Transporte im Branchenbuch?«, staunte Justus.

Sein Onkel zupfte sich nervös am Ohr. »Na ja, die Einkünfte mit unserem Schrottplatz könnten zur Zeit wahrlich besser sein. Da dachte ich eben, wir erweitern unser Geschäftsfeld. Transportiert wird immer was.«

»Genauso ist es. Und bevor ich Ihnen meine gesamte Lebensgeschichte beichte, lassen Sie uns lieber starten. Am besten, Sie fahren mir mit Ihrem Transporter hinterher!« Mit diesen Worten erhob er sich vom Tisch und ging zu seinem Sportwagen.

»Warten Sie, Mister McMurdock!«, rief ihm Onkel Titus nervös hinterher. »Gibt es denn da viel zu schleppen?«

»Kann schon sein. Wer weiß, was mein Vater so alles zusammen gesammelt hat. Vielleicht ja nur ein Briefmarkenalbum — womöglich aber finde ich ein schönes altes Klavier.« Bei dem Wort Klavier mischte sich Tante Mathilda energisch ein. »Titus. Du weißt,

dass du es im Kreuz hast. Du schleppst mir nicht wildfremde Sachen in der Gegend herum. Wenn schon Transportfahrer, dann aber kein Möbelpacker.«

In diesem Moment erkannte Justus seine Chance. »Dann gibt es nur eine Möglichkeit, Tante Mathilda. Peter, Bob und ich fahren mit.«

»Kein Problem!«, rief McMurdock und startete den Wagen. Nachdenklich klapperte Tante Mathilda mit einem Löffel auf dem Tisch. Die Gesundheit ihres Mannes lag ihr sehr am Herzen. »Na schön. Aber eine Sache müsst ihr mir versprechen!«

»Ich weiß«, nahm ihr Justus die Worte aus dem Mund. »Wir dürfen nicht wieder im Ferrari mitfahren.«

Verfolgungsfahrt

Dicht zusammengedrängt saßen die drei ??? auf dem Vordersitz des alten Pick-up. Onkel Titus hatte große Mühe, hinter dem Sportwagen herzufahren. »Pass auf, dass er dich nicht abhängt«, drängte Justus seinen Onkel.

»Keine Angst, ich brauch nur seiner lauten Musik zu folgen.« Lässig ließ Stanley McMurdock den Arm aus dem Auto hängen und klopfte im Takt auf die Fahrertür. Hinter dem Ortsschild von Rocky Beach machte er Zeichen, dass ihn der Pick-up überholen sollte. »Seht ihr, schon weiß er nicht, wo es weitergeht«, grinste Onkel Titus. »Wir müssen ungefähr dreißig Meilen ins Inland fahren. Die Adresse liegt in der Nähe eines großen Weinanbaugebietes. Sehr bergig dort.«

Der Weg folgte entlang eines ausgetrockneten Flussbetts. Nur vereinzelt erblickte man am Fuße der kargen Gebirgshänge kleine Weingüter. Die Straße wurde immer schlechter und die drei ???

wurden auf dem Sitz hin und her geworfen. »Jetzt weiß ich, was Tante Mathilda mit dem warmen Kirschkuchen meinte«, stöhnte Bob und hielt sich den Bauch. An einer Weggabelung stoppte Onkel Titus den Pick-up und schaute auf einer Karte nach. »Hier müssten wir nach rechts abbiegen. Auf dem Zettel von Mister McMurdock stand Roddenroad 1. Dann wird das Haus ja gleich kommen.« Doch sie fuhren noch über drei Kilometer, bis die holprige Straße an einer hohen Mauer endete. Onkel Titus wischte sich den Schweiß von der Stirn. »Das ist mir ja ein Ding. In der Straße gibt es nur eine Hausnummer.« Eingerahmt von zwei riesigen Palmen entdeckten sie ein massives Holztor. Darüber stand in geschmiedeten Buchstaben: *McMurdocks Magic* Castle. Der Ferrari des Schauspielers hielt direkt davor. Ungeduldig drückte McMurdock auf die Hupe. »Es scheint so, als hätten wir die bescheidene Hütte meines alten Herrn gefunden«, grinste er. Plötzlich begannen die schweren Flügeltüren zu ruckeln. Doch sie öffneten sich nicht, sondern verschwanden langsam im Boden. Bob war begeistert. »Wahnsinn. Und ich dachte schon, wir besuchen einen langweiligen Bauernhof.« Nur Peter hatte ein merkwürdiges Gefühl. Dieses Gefühl hatte er immer vor besonders gefährlichen Abenteuern der drei ???.

Als das Tor vollständig verschwunden war, fuhren die beiden Wagen unter dem mächtigen Mauerbogen hindurch. Das, was sie jetzt erblickten, verschlug allen die Sprache. Vor ihnen lag ein riesiges Schloss. Doch es war kein gewöhnliches: Es gab unzählige Zinnen und Erker, kleine Türmchen, um die sich außen herum Wendeltreppen schlängelten. Nirgends gab es eine gerade Linie und alles sah aus, als würde es jeden Moment zusammenbrechen. »Der Architekt hat wohl beim Bau zu viel von dem Wein aus dieser Gegend getrunken«, lachte Onkel Titus.

Der Weg zum Schloss verlief in kurvigen Bögen, vorbei an riesigen Skulpturen aus Büschen und Efeuranken. Justus deutete auf eines der bizarren

Gebilde. »Das da sieht aus, wie ein Pferd aus einem Schachspiel.« Sie entdeckten noch viele solcher Figuren. Direkt hinter dem Schloss lag ein mächtiger Berg. Nur ein paar kleine Tannen fanden Halt auf den steil abfallenden Felsvorsprüngen. Vor dem großen Säuleneingang des Hauses standen bereits zwei Fahrzeuge. Peter erkannte einen davon sofort. »Seht mal. Ein Rolls Royce Silver Ghost. Davon gibt es nur noch ein paar Stück auf der Welt. Unglaublich teuer.« Das andere war ein grauer Kleinwagen. Stanley McMurdock parkte seinen Wagen vor der breiten Marmortreppe. »Dann mal hinein in die gute Stube.« An der Eichentür hing ein großer goldener Ring. Lautstark donnerte der Schauspieler damit gegen das Holz. Es dauerte eine Weile, bis sich die schwere Tür knarrend öffnete. Eine alte Dame schob vorsichtig den Kopf durch den Türspalt. Sie trug eine dicke Hornbrille, durch die ihre Augen wie große Glasmurmeln erschienen. Nervös wischte sie ihre Hände an der Schürze ab.

»Guten Tag, Mam. Mein Name ist McMurdock. Stanley McMurdock. Sie sind sicher die Haushälterin, oder?«

Die alte Frau hielt sich die Hand hinters Ohr. »Hä?«

»Ich sagte, Sie sind sicher die Haushälterin?«

Sie nickte schüchtern und öffnete die Tür ganz. »Die hat doch kein Wort verstanden«, grinste McMurdock. »Taub wie eine Nuss.« Mit bedächtigen Schritten schlurfte die Frau durch die Eingangshalle. »Folgen Sie mir«, krächzte sie heiser. Die Halle war riesengroß.

Ringsum führten steinerne Treppen in die oberen Etagen. Ein mächtiger Kristallleuchter an der Decke war das Einzige, was in diesem Raum nicht aus Stein war. Jeder Schritt hallte unzählige Male von den Wänden wider. Der Weg führte durch einen langen Flur, vorbei an rostigen Ritterrüstungen. Ganz am Ende öffnete die Haushälterin eine reich verzierte Holztür. Dahinter lag das Kaminzimmer.

»Sie müssen Mister Stanislav Leymont McMurdock sein, wenn ich mich nicht irre«, begrüßte ein hagerer Mann im grauen Anzug Onkel Titus.

»Nein! Das ist der Herr neben mir«, antwortete dieser erschrocken.

»Ich bin derjenige welcher«, klärte der Schauspieler die Situation. »Aber nennen Sie mich der Einfachheit halber Stanley. Und Sie müssen einer der Dunkens sein.« Der hagere Mann nickte. »Das ist korrekt. Wenn ich vorstellen darf, das sind meine Partner im Notariat: Joneson Dunken und James Dunken junior. Mein Name ist Jeremia Dunken.«

Einer nach dem anderen stand auf und schüttelte jedem die Hand.

»Sind Sie Brüder?«, fragte Stanley McMurdock. Gleichzeitig sagten die drei Dunkens »Nein!«

Es schien auch nicht so, als würden sie weitere Fragen zu diesem Thema beantworten. Jetzt erst drehten sich die anderen beiden Personen in dem Raum zu ihnen um.

»Du musst Edward sein«, begrüßte Stanley

McMurdock seinen ungleichen Zwillingsbruder und reichte ihm die Hand. Unsicher nickte der dickliche Mann und wollte auf den Schauspieler zugehen. Doch in diesem Moment stellte sich die Frau an seiner Seite zwischen die beiden. »Ja, es ist Ihr Bruder. Was immer das auch heißen mag. Ich kenne Sie bisher nur von Filmplakaten und das reicht mir völlig, um mir ein Bild von Ihnen zu machen. Es liegt mir fern, mit Schauspielern Ihres Genres nähere Bekanntschaft zu schließen. Die Tatsache, dass mein Mann Ihr Bruder ist, ist ein Zustand, den ich nicht mehr ändern kann. Ich betone ausdrücklich, dass diese späte Familienzusammenführung nur einen Zweck erfüllen soll: Nämlich so schnell wie möglich diese lästige Erbschaftsangelegenheit hinter uns zu bringen. Gentlemen Dunken, Dunken und Dunken, ich möchte Sie auf das Höflichste bitten, mit der Testamentsvollstreckung zu beginnen!«

Amtshandlung

»Die ist ja schlimmer als unsere Kunstlehrerin«, flüsterte Bob. In diesem Moment nahmen die drei Notare Platz und der Hagere im grauen Anzug öffnete einen schwarzen Lederkoffer.

»Warten Sie!«, unterbrach ihn die Frau von Edward McMurdock. »Zunächst möchte ich wissen, was diese, wie soll ich sagen, vier Gestalten hier zu suchen haben.« Mit einer abfälligen Geste deutete sie auf die drei ??? und Onkel Titus. Bevor einer von ihnen antworten konnte, übernahm Stanley McMurdock das Wort. »Ob es Ihnen gefällt oder nicht, das sind meine Begleiter. Ich denke nicht, dass es dagegen rechtliche Bedenken gibt, oder Gentlemen Dunken, Dunken und Dunken?« Die drei Notare schüttelten gleichzeitig die Köpfe.

»Ich darf Sie dann alle zusammen zur Testamentseröffnung des Verstorbenen Edmont McMurdock begrüßen«, begann der Hagere. »Ich werde nun seinen letzten Willen verlesen: Erstens: Meine liebe Haushälterin, Elisabeth Shatterfield, erhält für ihre zwanzigjährige aufopfernde Tätigkeit in meinem Hause eine monatliche Abfindung von zweitausend Dollar und außerdem ein lebenslanges Wohnrecht auf McMurdocks Magic Castle.«

»Das ist ja wohl nicht sein Ernst. Mit der Alten bekommen wir das Schloss niemals verkauft«, empörte sich die Ehefrau von Edward McMurdock. Misses Shatterfield hielt wieder ihre Hände hinter die Ohren. »Hä?«

»Er hat gesagt, Sie können hier wohnen bleiben!«, brüllte Stanley McMurdock, so laut er konnte. Jetzt hatte die alte Dame verstanden und sank überglücklich auf ihrem Stuhl zusammen. Hinter der dicken Hornbrille lief eine Träne über ihr Gesicht.

»Ihre größte Sorge war, dass sie das Schloss verlassen müsste«, erklärte Jeremia Dunken leise. »Aber kommen wir weiter zur Sache. Meinen gesamten Besitz und das Schloss vermache ich einem meiner beiden Söhne.«

Misses McMurdock fummelte nervös an ihrer Perlenkette. »Einem?«

»Ja, so steht es geschrieben. Und zwar demjenigen, der mein letztes Spiel gewinnt.«

»Wie darf ich das verstehen?«, fuhr ihm jetzt wütend die aufgeregte Frau dazwischen. In ruhigem Ton fuhr Dunken fort. »Ja, ein Spiel. Wie Sie wahrscheinlich wissen, hat der Verstorbene sein Vermögen durch die Erfindung von etlichen Brettspielen gemacht. Einige davon sind in über zwanzig Ländern erschienen.«

»Ich spiele keine Brettspiele!«, empörte sich die Frau.

»Das ist für die Erfüllung des Testaments leider unerheblich, Misses McMurdock. Ich überreiche den beiden Brüdern nun zwei Spielkartons im Sinne des Verblichenen. Sie haben vierundzwanzig Stunden Zeit für das Spiel. Gelingt es keinem von Ihnen das Spiel zu gewinnen, fällt alles dem Staate Kalifornien zu.« Jetzt kannte Misses McMurdock kein Halten mehr. »Dieser verrückte Spinner. Ich wusste doch, dass alle in eurer Familie einen Dachschaden haben.«

»Nun rege dich nicht auf, Mausi«, versuchte ihr Mann sie zu besänftigen.

»Nenn mich nicht in der Öffentlichkeit Mausi!« schrie sie aufgebracht.

In der Zwischenzeit hatte Stanley McMurdock einen der Kartons begutachtet. Auf dem Pappdeckel stand in geheimnisvoller Schrift: *Im Reich der Rätsel.*

»Schöner Titel für ein Spiel«, grinste er. »So könnte glatt einer meiner Filme heißen. Seht mal, auf der Seite steht: Geeignet für zwei Spieler. Alter: zehn Jahre. Merkwürdig, steht dort sonst nicht immer zehn bis neunundneunzig, oder so?« Neugierig kamen die drei ??? näher und untersuchten das Spiel. Als der Schauspieler den Deckel öffnete, erblickten sie als Erstes einen großen Würfel und eine hölzerne Spielfigur. Doch es war kein normaler Würfel: Dieser hatte auf allen sechs Seiten eine Eins. Des Weiteren befanden sich im Karton ein lederner Würfelbecher und ein Spielbrett. Es war eintönig grau und hatte nur ein Startfeld und ein Zielfeld in der Mitte.

»Ein Wunder, dass der alte Mann mit so etwas überhaupt Geld verdient hat!«, rief Misses McMurdock spöttisch dazwischen. Justus angelte sich ganz unten aus dem Karton die Spielanleitung und las sie für alle vor: »Gewinne das Spiel und nenne laut und deutlich das Lösungswort.« Das war alles, was in der Anleitung stand. Ungeduldig schmiss

Misses McMurdock den leeren Karton zur Seite. »Dann mal los.« Blitzschnell griff sie nach der hölzernen Spielfigur und knallte sie auf das Zielfeld. »Sie haben vergessen zu würfeln!«, rief Peter dazwischen.

»Was mischt du dich denn da ein! Wieso soll ich mit einem Würfel würfeln, der nur Einsen hat? Haben wir jetzt gewonnen, Gentlemen Dunken, Dunken und Dunken?« Der Hagere winkte ab. »Nein, tut mir Leid. Im Testament stehen genaue Anweisungen für diesen Fall. Morgen Abend um genau einundzwanzig Uhr kommen wir wieder. Jeder Spieler hat jetzt exakt vierundzwanzig Stunden Zeit, um das Spiel und somit das gesamte Vermögen zu gewinnen.« Justus Jonas knetete mit Daumen und Zeigefinger seine Unterlippe. Das tat er immer, wenn er scharf nachdachte. »Merkwürdig, ein Würfel, der nur Einsen hat. Das könnte ein versteckter Hinweis sein.« Stanley McMurdock hörte seinen Worten aufmerksam zu. »Ich sehe, du steckst schon mitten im Spiel«, sagte er interessiert. »Ich selber habe in meinem ganzen Leben noch nie ein Brettspiel besessen, geschweige denn gespielt. Wisst ihr was, ich habe euch einen Vorschlag zu machen. Wollt ihr nicht für mich das Spiel gewinnen? Ihr werdet angemessen belohnt werden. Ihr übernachtet hier und morgen holen wir uns das Schloss.« Dann schrie er der alten Haushälterin ins Ohr. »Misses Shatterfield, hier gibt es doch wohl ein Gästezimmer, in dem die drei Jungs schlafen können, oder?« Als sie das hörte, begann sie heiser zu lachen. »Eins? Hier können ganze Gesellschaften übernachten.«

»Nichts da«, keifte Misses McMurdock. »Das ist gegen die Spielregeln!« Doch Jeremia Dunken widersprach ihr. »Das kann ich leider so nicht bestätigen, Misses McMurdock. Mister Stanley McMurdock hat zweifelsohne das Recht, sich geeignete Partner zu suchen. Mehr kann ich in diesem Zusammenhang nicht sagen. Guten Tag, meine Damen und Herren.« Anschließend standen die Notare gleichzeitig auf und verließen den Raum.

»Ist mir auch egal«, schimpfte die aufgebrachte Frau. »Wir werden ja wohl nicht gegen eine Handvoll Kinder verlieren, oder Edi?« Ihr Mann zuckte zusammen, als er seinen Namen hörte.

»Nein, natürlich nicht. Auf keinen Fall, Mau ..., äh, Isabell.«

Gute-Nacht-Schloss

Jetzt hatte aber Onkel Titus noch ein Wörtchen mitzureden. »Moment, Justus, so schnell geht das nicht! Deine Tante reißt mir den Kopf ab, wenn ich ohne euch zurückkomme.« Justus brauchte all seine Überredungstricks, um seinen Onkel umzustimmen. Zu guter Letzt gab er nach. »Na schön. Ich habe morgen den ganzen Tag in Rocky Beach zu tun. Um Punkt neun Uhr abends hole ich euch wieder ab. Und dass ihr mir keine Dummheiten macht!«

»Du kennst uns doch!«, rief ihm Justus hinterher.

»Genau das macht mir ja Sorgen. Ich muss verrückt sein, dass ich mich darauf eingelassen habe. Deine Tante wird mich mit dem Kochlöffel über den Schrottplatz jagen.« Dann lachte er und verschwand aus dem Kaminzimmer.

»Ich zeige Ihnen die Schlafgemächer«, krächzte Misses Shatterfield und ging mit einem Kerzenleuchter voran.

Das Ehepaar bekam die große Suite mit drei Räumen im Erdgeschoss zugewiesen. Stanley McMurdock wohnte im ersten Obergeschoss.

»Gute Nacht, Jungs. Bis morgen!«, rief er und schloss die Tür hinter sich.

»Wo bringt die uns jetzt wohl hin?«, flüsterte Peter. Die alte Dame schlurfte mühsam eine der vielen Wendeltreppen hinauf.

»Den jungen Herrschaften habe ich das Turmzimmer zugedacht«, erklärte sie. »Es ist ein außergewöhnliches Zimmer. Doch sehen Sie selbst.« Kurz darauf befanden sie sich in einem großen runden Raum. Er war fast nicht möbliert. Nur in der Mitte stand ein riesiges rundes Bett mit unzähligen Decken und Kissen. Doch als die drei ??? genau hinschauten, entdeckten sie, dass das Bett nicht stand, sondern an mehreren dünnen Seilen über dem Boden schwebte. Bob schmiss sich sofort zwischen die Kissen. »So etwas brauche ich zu Hause auch. Man schwebt wie auf einer Wolke.«

»Ich wusste, dass es den jungen Herrschaften

gefallen würde. Morgen um sieben Uhr gibt es Frühstück.« Dann verabschiedete sich die Haushälterin und schlurfte wieder die Treppen herunter. Justus und Peter ließen es sich nicht nehmen, auch auf das Bett zu springen.

»Vorsichtig, Just! Vielleicht hält es dich nicht?«, lachte Bob und bewarf ihn mit einem Kissen.

»Ha, ha, ha! Pass lieber auf, dass du nicht seekrank wirst.« Mit viel Schwung brachte er das schwebende Bett zum Drehen.

»Ich gebe auf, ich gebe auf. Mir wird schlecht!«, jammerte Bob und hielt sich an den Seilen fest.

Von draußen schien das helle Mondlicht durch die vergitterten Fenster.

»Wozu sind eigentlich die Gitter da?«, fragte Peter beunruhigt. Bob hatte sich mittlerweile wieder gefasst. »Vielleicht war das früher der Gefangenenturm«, antwortete er mit düsterer Stimme.

»Unsinn«, unterbrach Justus. »Das Gebäude ist nicht mal fünfzig Jahre alt. In Kalifornien gibt es keine alten Schlösser. Der verrückte Spieleerfinder hat dieses Gemäuer anscheinend nach seinen eigenen Plänen bauen lassen.«

Müde zogen die drei ??? die Decken über sich und rätselten über das Brettspiel.

»Ich verstehe es einfach nicht«, begann Bob. »Was bedeutet dieser Würfel? Und welches Lösungswort sollen wir herausbekommen?« Nachdenklich betrachteten sie den Spielekarton. Mister McMurdock hatte ihn den drei Detektiven anvertraut. Doch so lange sie auch den Karton von allen

Seiten untersuchten, es gab nichts Geheimnisvolles zu entdecken. Schließlich beugte sich Peter aus dem Bett, legte das graue Spielfeld auf den Steinfußboden und stellte die hölzerne Spielfigur auf das Startfeld.

»Peter, du willst doch wohl nicht tatsächlich dieses Idiotenspiel anfangen?«, wunderte sich Bob. Aber Peter ließ sich nicht beirren. »Hast du eine bessere Idee? Nein. Also werde ich jetzt den Würfel in den Becher schmeißen und dieses verdammte Spiel spielen.« Wütend knallte er mit aller Kraft den Lederbecher auf den Boden. Anschließend hob er ihn vorsichtig wieder hoch.

»Lass mich raten. Eine Eins.«, lachte Bob spöttisch. Doch das, was Peter zu Gesicht bekam, verschlug ihm die Sprache. »Seht euch das mal an!«, stotterte er. Hastig hüpften seine beiden Freunde über das schaukelnde Bett und beugten sich herab.

»Unglaublich«, entfuhr es Bob. Anstelle des Würfels lagen unter dem Becher zersplitterte Glasscherben. Dazwischen lag ein winziges Teilchen aus Eisen. Justus hob es behutsam auf und hielt es in das Kerzenlicht. »Das sieht aus, wie ein ganz kleiner Ritterhelm. Er muss in dem Würfel gewesen sein. Ich denke, dieser war aus sehr dünnem Glas. Jetzt verstehe ich langsam.«

»Was verstehst du?«, fragte Peter erstaunt.

»Na, denkt doch mal nach! Das Spiel ist für Kinder, nur für Kinder gedacht — nicht älter als zehn Jahre. So stand es auf dem Karton.«

»Na und?«

»Nur ein Kind würde mit einem Würfel spielen, auf dem nur Einsen sind. Misses McMurdock hat es zum Beispiel nicht getan.« Peter und Bob waren verblüfft über Justus' Theorie.

»Und jetzt sind wir einen ganzen Schritt weiter. Dieser Helm soll uns garantiert einen Hinweis geben. Wisst ihr, woran ich denke?«

Seine beiden Freunde verstanden den Hinweis: Die Ritterrüstungen in dem langen Flur verbargen anscheinend ein Geheimnis.

Gespensterritter

Peter ahnte, was Justus vorhatte. »Du brauchst erst gar nicht anzufangen, Just. Ich habe überhaupt keine Lust, mitten in der Nacht durch dieses merkwürdige Schloss zu wandern.« Doch ein paar Minuten später folgte er mürrisch seinen beiden Freunden die Wendeltreppe hinab. Justus ging mit dem Kerzenleuchter voran. »Peter, wir sind mitten in einem Spiel. Da wird schon nichts passieren«, beruhigte er ihn. Leise schlichen sie an der Suite des Ehepaares vorbei. Dahinter lag der lange Flur mit den rostigen Ritterrüstungen.

»Die Jungs sehen fast alle gleich aus«, flüsterte Bob und klopfte einem vorsichtig ans Blechbein. »Klingt hohl. Scheint zumindest keiner drin zu stecken«, grinste er.

»Das will ich doch stark hoffen«, murmelte Peter.

In der nächsten halben Stunde untersuchten sie jede einzelne der zwölf Rüstungen. Aus dem

Kaminzimmer schlug eine historische Wanduhr Mitternacht. Jeder der drei ??? war mit einer anderen Rüstung beschäftigt. Peter stand jetzt vor einem riesigen Ritter mit einem umgehängten Schwert. Vorsichtig stellte er sich auf die Zehenspitzen und öffnete behutsam das Visier am Kopf. Das Scharnier quietschte leicht, als er das Blechteil nach oben klappte. Stück für Stück führte er seine Hand ins Innere der Rüstung. Plötzlich spürte er mit dem Zeigefinger einen harten Gegenstand. Jetzt streckte sich Peter noch mehr und zog sich ein wenig an dem Schwert empor. »Ich hab da was«, flüsterte er aufgeregt seinen beiden Freunden zu. In diesem Moment kippte die Rüstung ganz langsam nach vorn, kam schließlich aus dem Gleichgewicht und begrub Peter unter sich. Ein ohrenbetäubender Lärm dröhnte durch den Flur.

»Schnell weg!«, zischte Bob und hob den kreidebleichen Peter auf. Überall lagen Teile der Ritterrüstung auf dem Boden. Beim Weglaufen stolperten sie fast über den Helm. Sie erreichten in letzter

Sekunde das Kaminzimmer, als eine der Flurtüren
aufgerissen wurde.

»Schnell, Edi! Komm schon! Hier ist irgendetwas
passiert«, hörten die drei ??? die Stimme von Isabell
McMurdock. Mit schnellen Schritten lief sie den
Flur entlang. Die Detektive versteckten sich unter
der Decke des großen runden Tisches. Bob spuckte
auf seine Finger und drückte damit die drei Kerzen-
dochte aus. »Dadurch qualmt das nicht«, flüsterte
er. »Sonst riechen die den Rauch.« Aus ihrem Ver-
steck sahen sie nun die aufgeregte Frau auf sie

zukommen. Sie trug ein rosa Nachthemd mit weißen Rüschen. Ihre Schlafbrille aus schwarzem Stoff hatte sie nach oben hoch geklappt. »Wo bleibst du denn, Edi?«, schimpfte sie. Jetzt kam auch ihr Mann angetrottet. »Was ist denn los, Mausi?«, fragte er müde. Im Gesicht baumelte der Troddel seiner gestreiften Schlafmütze.

»Ja, hast du das denn nicht gehört? Ich dachte, die Welt geht unter. Im Flur hat jemand eine der Rüstungen umgeworfen. Ich habe das ungute Gefühl, dass uns die drei Bengels in die Quere kommen.«

»Die drei Kinder?«, fragte ihr Mann und gähnte.

»Kinder ist gut. Ich kenne diese Sorte. Die stecken ihre Nasen immer in Sachen anderer Leute. Ne, ne, wir müssen aufpassen.« Edward McMurdock zog einen Stuhl unter dem Tisch hervor und ließ sich nieder. »Wird schon gut gehen, Mausi. Wirst sehen, morgen gehört uns das Schloss.«

»Und wenn nicht? Weißt du überhaupt, wie schlecht unsere Geschäfte zu Hause laufen? Kein

Mensch will heutzutage mehr lackierte Gips-
zwerge kaufen. Hast du überhaupt eine Ahnung,
wie viele Schulden wir zur Zeit haben? Nächste
Woche holt die Bank unseren Rolls Royce ab. Aber
du kümmerst dich ja nicht um die Firma. Unsere
letzte Rettung ist dieses Schloss. Es wird sofort verkauft und die alte Schachtel schmeißen wir raus.
Da finde ich schon einen Weg. So, und jetzt Marsch
ab ins Bett, Edi!«

Die drei ??? warteten noch eine Weile, dann trauten sie sich wieder vorsichtig unter dem Tisch hervor.

»Ich weiß nicht, wozu das Heiraten gut sein soll«, flüsterte Bob. »Der arme Mann tut mir fast Leid.« Justus Jonas hatte andere Sorgen. »Peter, jetzt erzähl endlich, was du in der Rüstung entdeckt hast!« Langsam öffnete Peter seine verschlossene Hand. »Das hier.«

Schlosswanderung

In seiner Handfläche lag ein altertümlich aussehender Schlüssel.

»Zeig mal her!«, flüsterte Bob. Vor dem Kamin fanden sie eine Packung Streichhölzer und zündeten die Kerzen wieder an. Neugierig hielten sie den Schlüssel vor die Flammen. Peter war immer noch blass nach dem Erlebnis mit der Rüstung. »Ich dachte, jetzt will mich der Ritter fertig machen.«

»Dafür haben wir den Schlüssel«, lobte ihn Justus. »Nun müssen wir nur noch herausfinden, zu welchem Schloss er passt.«

Bob wischte seine Brille sauber. »Er sieht aus wie ein Türschlüssel. Leider hat das Gebäude bestimmt hunderte Türen. So viel Zeit haben wir nicht.« Doch als sie den Schlüssel genauer betrachteten, machte Bob eine Entdeckung. »Just, wackel mal nicht so mit dem Leuchter! Ich glaube, auf dem Metall ist etwas eingraviert. Ja, seht mal, es sieht aus wie lauter kleine Kügelchen.« Jetzt erkannte sie auch

Peter. »Und wisst ihr, wie die Kügelchen aussehen? Wie Weintrauben.«

»Na klar«, fuhr Justus fort. »In der Gegend hier werden die angebaut. Der Schlüssel muss irgendetwas mit den Trauben zu tun haben.« Plötzlich schlug er sich gegen die Stirn. »Blödsinn! Natürlich nicht Weintrauben, sondern Wein. Ich wette, der Schlüssel führt zu einem Weinkeller oder so etwas Ähnlichem.«

Kurz darauf machten sie sich auf den Weg, um die Kellerräume zu suchen. Jetzt wurde es ihnen bewusst, wie groß das Schloss in Wirklichkeit war. Immer neue Räume taten sich auf. Erst in der Küche entdeckten sie eine Treppe, die abwärts führte.

»Dann auf in die Unterwelt!«, verkündete Bob und ging mutig voran. Als er aber in ein riesiges Spinnennetz lief, wurde er schon etwas kleinlauter.

Aus dem Keller strömte ihnen feuchte und kühle Luft entgegen. Schritt für Schritt wagten sie sich tiefer in das Kellergewölbe.

»Pass auf, dass die Kerzen nicht ausgehen!«, flüsterte Peter. Justus hielt daraufhin schützend seine Hände vor die Flammen. An einer verriegelten Tür blieb Bob stehen und steckte den Schlüssel ins Schloss — er ließ sich jedoch nicht herumdrehen. »Mist, wäre auch zu schön gewesen.« Sie probierten es an allen Türen, die sie in den Kellergängen fanden. Doch erst bei der letzten ließ sich der Schlüssel herumdrehen.

»Wir haben sie gefunden«, strahlte Peter.

Knarrend ließ sich die schwere Tür aufstoßen. »Diesmal geht ein anderer voran«, sagte Bob. »Das Spinnennetz klebt mir immer noch an der Brille.« Entschlossen betrat Justus den Kellerraum und leuchtete ins Innere. Er hatte mit seiner Vermutung Recht behalten. Sie standen inmitten eines großen Weinkellers. Hier roch es süßlich nach Früchten und altem Holz. In zwei Reihen standen riesige Weinfässer auf gemauerten Podesten. An den Wänden lagerten in Regalen hunderte von eingestaubten Weinflaschen.

»Onkel Titus würde die jetzt eine nach der anderen öffnen und untersuchen wollen«, grinste Justus.

Doch leider brachte der Keller keine neuen Erkenntnisse. Sie wussten überhaupt nicht, wonach sie Ausschau halten sollten. Außerdem brannten nur noch zwei der drei Kerzen.

»Es hat keinen Zweck«, stöhnte Bob enttäuscht. »Gleich wird es hier stockdunkel. Ich möchte mal wissen, warum der alte McMurdock keine einzige elektrische Lampe in seinem Prachtbau angebracht hat.« Müde lehnte er sich an ein Holzfass. Es war leer und bewegte sich etwas zur Seite. Justus bemerkte das sofort. »Wartet mal. Alles in diesem Weinkeller ist völlig normal. Es gibt volle Flaschen und es gibt volle Weinfässer. Wenn eine Sache hier aus der Reihe tanzt, dann ist es dies leere Fass.« Er kletterte auf das Holzfass und zog den dicken Korken auf der Oberseite heraus.

»Und, kannst du was entdecken?«, fragte Peter neugierig.

»Absolut dunkel da drin. Ich kann mir auch nicht vorstellen, dass unser Spieleerfinder dort was versteckt haben sollte. Wir müssten das Fass dafür aufsägen. Das Rätselspiel ist aber für Kinder gedacht — und die sollen bestimmt nicht mit einer Säge hantieren.«

Peter hatte eine andere Idee. »Was ist, wenn wir das machen, was man normalerweise mit einem Fass anstellt?«

»Was soll man denn mit einem Fass anstellen?«, unterbrach ihn Bob.

»Na ja, normalerweise wird es voll gegossen«, fuhr Peter fort und deutete auf einen aufgerollten Wasserschlauch an der Kellerwand. Da die anderen beiden auch keine bessere Idee hatten, nahmen sie den Vorschlag von Peter an. Sie steckten das Schlauchende in die Fassöffnung und drehten den verzierten Wasserhahn aus Kupfer auf. Leise plätscherte Wasser in das große Fass.

»Das kann eine Weile dauern«, seufzte Bob. Mittlerweile brannte nur noch eine der Kerzen. Ungeduldig kletterte diesmal Peter auf das Fass.

»Gleich haben wir es geschafft. Ich kann schon die Wasseroberfläche erkennen. Nur noch ein paar Zentimeter.« Plötzlich gab es einen kleinen Ruck unter ihm. »He, was ist das?«, rief Peter erschrocken. Dann gab es eine zweite heftige Erschütterung. Jetzt erst bemerkten die drei ???, was geschah: Unmerklich langsam versank das Fass zusammen mit dem Podest in der Tiefe des Kellergewölbes. Peter sprang ab. »Ich glaube, der Boden bricht ein!«, schrie er aufgeregt. »Vielleicht war es doch keine so gute Idee von mir.« Doch Justus beruhigte ihn. »Das ist nicht die Kellerdecke. Das Fass fährt gerade wie mit einem Fahrstuhl nach unten.«

Kellergeister

»Ich möchte mal wissen, was sich der verrückte McMurdock dabei gedacht hat!«, rief Bob verwirrt. Immer tiefer versank das Fass in einem düsteren Schacht. Vorsichtig näherten sich die drei ??? dem Loch im Boden. An der Seite erkannten sie eine rostige Eisenleiter.

»Ich wette, das ist ein alter Brunnen«, vermutete Justus. Das Fass lag jetzt so tief, dass man es in der Dunkelheit nicht mehr erkennen konnte. Bob warf ein brennendes Streichholz in die Tiefe. Meter um Meter fiel die Flamme nach unten und erlosch.

Peter grauste bei dem Gedanken, in den Schacht zu steigen. Doch zu seinem Glück gab in diesem Moment die letzte der drei Kerzen ihren Geist auf. Schlagartig war es finster im Weinkeller. Justus zündete ein Streichholz nach dem anderen an. Auf diese Weise fanden sie zumindest den Weg aus dem Keller zurück in die Küche.

Oben angekommen rieb Peter sich müde die

Augen. »Wir sollten zusehen, dass wir noch ein wenig schlafen können. Um sieben gibt es Frühstück. Am Besten, wir kommen dann mit neuen Kerzen wieder.«

Wenige Minuten später ließen sie sich erschöpft auf das schwebende Bett fallen und schliefen sofort ein.

Bob kam es vor, als hätte er gerade einmal eine Sekunde geschlafen, als er von einem lauten Hahnenschrei geweckt wurde.

»He, aufstehen! Ich kann schon die frischen Brötchen riechen!«, rief er müde seinen beiden Freunden zu. Justus war bei dem Wort Frühstück schlagartig wach. Nur Peter musste von beiden aus dem Bett gerollt werden. »Oh, nein«, jammerte er. »Und das am Wochenende.«

Kurz darauf saßen sie im Speisezimmer und machten sich über das Frühstück her. Erst jetzt bemerkte Justus, dass er seit dem warmen Kirschkuchen von Tante Mathilda nichts mehr gegessen hatte. Und das war noch nie vorgekommen. Die Haushälterin freute sich über den großen Appetit der drei ???. »Ja, ja, als ich noch jung war, hab ich auch so viel gegessen«, krächzte sie.

»Haben Sie schon immer hier gewohnt?«, wollte Bob wissen.

»Oh ja, Blutwurst mochte ich auch gerne«, antwortete sie.

»Die ist taub wie ein Klavier«, flüsterte Peter.

Die McMurdocks waren anscheinend schon fertig mit dem Frühstück. Misses Shatterfield sammelte gerade ihr benutztes Geschirr ein.

»Wo ist Stanley McMurdock?«, brüllte Justus, so laut er konnte. Dieses Mal hatte die alte Dame anscheinend verstanden. »Ach ja, fast habe ich es vergessen. Der junge Mann hat schon ganz früh das Haus verlassen. Hier, diesen Zettel hat er euch da gelassen.« Justus las laut vor: *Guten Morgen, Jungs! Ich bekam einen Anruf und musste ganz schnell nach Hollywood. Eine Filmszene soll nachgedreht werden. Ich komme pünktlich heute*

Abend zurück. Holt euch das Schloss! Ihr werdet
das schon ohne mich schaffen. Gruß, Stanley.

»Der ist gut«, schimpfte Peter. »Haut einfach ab
und lässt uns mit den Ratten im Weinkeller sitzen.«

»Nicht so laut!«, zischte Justus. »Nicht, dass
unsere Gegenspieler das mitbekommen. Los, wir
beraten alles Weitere im Zimmer!«

Als sie oben ankamen, hatte Justus sich schon
einen Plan ausgedacht. »Also, wir müssen die beiden McMurdocks irgendwie ablenken. Wenn die
sehen, dass wir in den Keller gehen, stiefeln sie uns
bestimmt hinterher.«

»Und was schlägst du vor?«, fragte Bob.

»Wir werden denen eine falsche Spur legen. Ich wette, die suchen das ganze Haus ab, um eine Schatzkiste oder so etwas Ähnliches zu finden. Was sie also brauchen, ist eine schöne alte Schatzkarte. Was meint ihr?«

Peter und Bob waren begeistert. In einer Schublade fanden sie Papier und einen Filzstift. Bob konnte am besten zeichnen. »Also, wo meint ihr, wollen wir sie suchen lassen?« Nachdenklich liefen sie im Zimmer auf und ab. Als Peter aus dem Fenster blickte, hatte er eine Idee. »Na klar. Wir lassen sie buddeln!«

Bob machte sich sofort ans Werk. Mit krakeligen Linien malte er einen Grundriss des Gartens auf das Papier. Selbst die Heckenfiguren trug er ein. Bei dem Pferd aus dem Schachspiel machte er ein dickes Kreuz. Anschließend sengten sie die Kanten des Bogens mit dem letzten Streichholz an.

»Na, wenn das nicht aussieht wie eine echte Schatzkarte«, lachte Justus. »Jetzt müssen wir die Karte nur noch den beiden unterschieben. Kommt

mit!« Er rollte das Werk zusammen und ließ es in
seiner Hosentasche verschwinden.

Sie brauchten nicht lange, um das Ehepaar
McMurdock zu finden. Beide saßen im Flur auf
dem Boden und hatten alle zwölf Ritterrüstungen
in sämtliche Einzelteile zerlegt.

»Hier muss doch irgendetwas zu finden sein!«,
hörten sie Misses McMurdock fluchen. »Edi, nun
finde endlich was!« Als sie die drei ??? erblickte, tat
die Frau plötzlich sehr freundlich. »Ah, einen wun-
derschönen guten Morgen. Tja, wir dachten, die
Rüstungen müssten dringend einmal sauber ge-

macht werden. Eine Grundreinigung sozusagen. Wäre doch schade um die guten Stücke. Lasst euch von uns nur nicht stören!«

Grinsend gingen die drei an ihnen vorbei. In einem günstigen Moment ließ Justus heimlich die aufgerollte Schatzkarte in einem der Helme verschwinden.

Kaum hatten sie den Flur verlassen, vernahmen sie einen gellenden Schrei. »Bravo, Edi! Wir haben es. Los, los! Ab in den Garten!«

Aus dem Küchenfenster beobachteten die Detektive, wie Misses McMurdock mit ihren hohen Hacken über den Rasen stolperte. Als sie fast hingefallen wäre, zog sie wütend die Schuhe aus, rannte barfuß zum Geräteschuppen weiter und kam schließlich mit einer Schaufel und einer Spitzhacke wieder zum Vorschein.

Unter der Schachfigur begann sie, wie eine Wahnsinnige zu graben.

»Die sind erst einmal eine Weile beschäftigt«, grinste Bob.

In der Küche fanden sie neue Kerzen und mehrere Pakete Streichhölzer. Bevor sie aber wieder in den Keller stiegen, rannte Justus nach oben und holte den selbstgestrickten Pullover von Tante Mathilda. »Das war saukalt da unten«, schnaufte er, als er zurückkam. Peter hatte eine Umhängetasche entdeckt — dort stopften sie alles hinein.

Drachenmäuler

Den Weg zum Weinkeller kannten sie mittlerweile. Wenig später standen die drei vor dem tiefen Schacht, in den sich das Weinfass abgesenkt hatte. Mutig nahm Justus den Kerzenleuchter und packte fest die erste Eisenstufe. »Am Besten, wir klettern dicht hintereinander runter!«, rief er seinen beiden Freunden zu. Von unten hallte seine Stimme wider.

Stufe für Stufe arbeiteten sie sich in die Tiefe. Tropfen fielen von den feuchten Wänden und platschten weit unten im Nichts auf. Endlich konnte Justus das Fass unter sich erkennen. »Nur noch wenige Meter, dann haben wir es geschafft.«

»Oder es hat uns geschafft«, murmelte Peter ängstlich.

Auf den letzten Metern weitete sich der enge Schacht zu einem breiten Raum. Wie in einer großen Höhle lag das Weinfass auf dem Boden. An den Wänden liefen armdicke Stahlseile neben schweren Zahnrädern entlang.

»Wie ich es mir gedacht habe«, erklärte Justus. »Das Ganze funktioniert wie ein Fahrstuhl. Ich denke, wir befinden uns in einem alten Brunnensystem.«

Dicht nebeneinander gedrängt untersuchten sie vorsichtig den Raum. Hinter einer Biegung machten sie eine unglaubliche Entdeckung: Vor ihnen erhob sich das in Stein gehauene Maul eines Ungeheuers. Riesige spitze Zähne wuchsen aus dem Felsen und schienen jeden Moment zuzubeißen. Tief im Schlund des Steinmonsters führte eine Wendeltreppe weiter hinab in die Tiefe.

Diesmal war es Bob, der aufgeben wollte. »Da kriegen mich keine zehn Pferde rein«, jammerte er. »Ich habe mal einen Film gesehen, da wurde ... aber daran will ich jetzt gar nicht denken. Außerdem steht von dieser Sache nichts in der Spielanleitung.« Er zeigte auf den zusammengerollten Zettel, den er die ganze Zeit bei sich trug.

Doch schließlich willigte er ein. »Okay, aber ich geh in der Mitte!«

Die Treppe endete in einem langen Gang aus massivem Felsgestein. Nur an einigen Stellen wurde die Decke mit dicken Balken abgestützt. Justus deutete auf den Boden. »Seht mal, unter uns laufen Schienen entlang. Das Ganze erinnert mich an ein Bergwerk. Vielleicht wurde hier damals Gold oder Eisenerz gefördert?«

Er sollte Recht behalten, denn ein wenig weiter entdeckten sie eine alte Lore.

»Das sieht aus wie eine Minieisenbahn«, bemerkte Peter und kletterte hinein. »Schiebt mich mal an! Vor uns geht es ein wenig bergab!«, rief er seinen beiden Freunden zu. Justus gab ihm den Leuchter und presste sich mit aller Gewalt gegen die Lore, die sich keinen Zentimeter bewegte. »Hilf mit, Bob, das Ding klemmt!«

Gemeinsam gelang es ihnen, das Gefährt flott zu machen. Quietschend setzte es sich in Bewegung. »Einsteigen bitte, der Zug fährt ab«, lachte Peter. Justus und Bob rannten hinterher und sprangen im letzten Moment in die Lore hinein.

»Hat das Ding auch
eine Bremse?«, schrie Bob gegen
den Lärm an. Peter nickte. »Klar, vorn hab
ich so einen Hebel gesehen.« In diesem Moment
wurden alle Kerzen vom Fahrtwind ausgeblasen
und von nun an donnerten die drei ??? in absoluter
Dunkelheit durch das Bergwerk.

»Hast du den Hebel?«, brüllte Bob panisch.

»Warte, gleich ... Ich seh nichts ...«

Ein dumpfer Schlag beendete die Fahrt. Die Lore
prallte mit viel Schwung gegen ein Hindernis und
kam von einem Moment auf den anderen zum
Stehen. Im hohen Bogen schleuderten die drei
durch die Luft und landeten in einem Sandhaufen.

»Lebt ihr noch?«, hustete Bob und tastete im Sand nach seiner Brille. Doch zum Glück waren alle mit dem Schrecken davon gekommen.

Als Justus die Kerzen wieder anzündete, lag die Lore umgekippt auf der Seite. An dieser Stelle gabelte sich der Weg. »Wir sollten ab jetzt vorsichtiger sein«, schlug er vor. »Ich habe das Gefühl, dass man sich in dem Bergwerk ganz schön verlaufen kann. Das Beste wäre, wenn wir eine Spur legen könnten.«

Als Bob seine Brille wiederfand, klatschte er plötzlich in die Hände. »Und ich weiß auch schon, womit.« Justus bemerkte, dass Bob es auf seinen Wollpullover abgesehen hatte. »Oh, nein. Auf gar keinen Fall. Ohne den Pullover kann ich mich bei Tante Mathilda nicht blicken lassen.«

Doch er wurde überstimmt. Wohl oder übel musste er den Pullover ausziehen und Bob übergeben. Dieser zog am unteren Ende einen Wollfaden heraus und knotete ihn an die umgekippte Lore. Als er sich mit dem Pullover entfernte, ribbelte eine

Masche nach der anderen auf. »Das ist die perfekte Rettungsleine«, grinste er.

Von nun an ließen sie einen dünnen Wollfaden hinter sich und wählten den Gang, der nach oben führte.

Sie gelangten noch einige Male an solche Kreuzungen und waren froh, dass sie nun jederzeit mit Hilfe des Fadens den Weg zurückfinden konnten. Viele der Gänge endeten als Sackgassen. Nach einer Weile setzten sich die drei auf einen Steinhaufen.

»Allmählich glaube ich, dass wir auf dem Holzweg sind«, stöhnte Bob und versuchte seine Brille sauber zu wischen — es war zwecklos. Die anderen beiden waren nicht weniger entmutigt.

Ein kühler Windhauch ließ die Kerzen flackern. Plötzlich sprang Justus auf. »Wartet! Wo Wind weht, gibt es auch einen Ausgang. Wir müssen eigentlich nur dem Luftzug folgen.«

Mit neuer Energie machten sich die drei ??? wieder auf den Weg. Diesmal ging es sehr lange bergauf.

»Da! Seht mal!«, rief auf einmal Peter. »Da ist eine Tür!« Tatsächlich. Sie standen wenige Meter vor einer schweren Eisentür. Zielstrebig packte Bob den großen Türgriff und drückte mit aller Kraft die Klinke herunter. »Das war klar. Abgeschlossen.« Neugierig leuchtete Justus die rostige Tür ab. »Hier ist etwas eingeritzt worden: *Glück auf. Das Licht des Tages ist des fleißigen Bergmanns Lohn. Drum atme den Hauch des Felsen Schlund.*«

Ablenkungsmanöver

»Aber was soll das bedeuten?«, fragte Peter und kratzte sich in den sandigen Haaren. Doch die anderen beiden waren genauso schlau wie er. Eine Weile noch versuchten sie mit allen Mitteln die Tür zu öffnen — dann gaben sie auf.

»Hier kommen wir nicht weiter. Ich schlage vor, wir machen uns auf den Rückweg«, schlug Justus vor.

Ohne den Wollfaden hätten sie jetzt niemals aus dem Labyrinth herausgefunden. Völlig erschöpft kletterten sie anschließend die vielen Eisenstufen des Brunnenschachtes wieder hoch.

Misses Shatterfield staunte nicht schlecht, als sie die drei dreckigen Gestalten aus dem Keller stiefeln sah.

»Was suchen die jungen Herrschaften denn in den Kellergewölben?«, krächzte sie erstaunt.

»Uns ist ein Ball nach unten gefallen!«, schrie Bob spontan zurück.

»Sehr wohl. Ich mache den jungen Herrschaften schnell etwas zu Essen.« Sie hatte mal wieder nichts verstanden, doch diesmal waren die drei ??? mit ihrer Antwort einverstanden.

Kurz darauf standen sie mit einem Wurstbrot in der Hand am Küchenfenster und blickten in den Garten.

»Das sieht ja aus wie eine Kraterlandschaft«, prustete Peter und verschluckte sich vor Lachen an

einem Krümel. Rings um die Schachfigur hatte das Ehepaar McMurdock tiefe Löcher gegraben. Mit zerrissenen Kleidern standen sie beide in einer Grube und schaufelten unermüdlich Erde heraus. Misses Shatterfield schüttelte nur verständnislos den Kopf, als sie das beobachtete. »Wenn das Mister McMurdock noch miterlebt hätte. Diese jungen Leute. Zeiten sind das. Herrjeh.«

»Danke für das Brot«, verabschiedete sich Justus mit vollen Backen.

»Gleich zehn Uhr«, krächzte die alte Frau zurück.

Enttäuscht wandelten die drei Detektive durch das Schloss.

»Und ich dachte, wir wären der Lösung so nah«, seufzte Bob. Justus knetete nervös seine Unterlippe. »Uns rennt die Zeit weg. Wir haben jetzt nur noch elf Stunden, um das Spiel zu gewinnen. Wisst ihr, was mir gerade einfällt? Warum stand auf dem Spielkarton: Geeignet für zwei Spieler? Bisher hätte auch eine Person die Aufgaben lösen können, oder?« Bob nahm den Gedanken auf. »Das stimmt. Den Würfel, den Schlüssel in der Rüstung, das Fass und die Gänge. Nur bei der Tür kamen wir nicht weiter. Vielleicht müssen wir ganz neu anfangen. Eine zweite Spur sozusagen. Aber wo sollen wir beginnen?«

Auf ihrer Suche gelangten sie auf die Bergseite des Schlosses. Hier lagen die Zimmer des ehemaligen Personals und ein großer Wirtschaftsraum. In den Regalen lagerten viele Gerätschaften. Vor einer Außentür standen leere Milchkannen.

»Sagt bloß, die haben hier ihre eigenen Kühe«, wunderte sich Peter und öffnete die Tür. »Kommt mal her, was ich hier entdeckt hab!«, rief er von draußen. Als Justus und Bob zu ihm liefen, erblickten sie eine kleine Seilbahn. Sie führte direkt auf den Berg hinauf.

»Jetzt weiß ich, woher sie die Milch bekommen. Oben ist wahrscheinlich eine Viehweide. Und mit der Transportbahn holen sie die vollen Milchkannen herunter. Wie bei Heidi«, lachte Peter. Dann setzte er sich in die kleine Gondel. »Was ist? Habt ihr Lust auf eine Bergtour?«

Bob war nicht ganz wohl bei dem Gedanken. »Ich weiß nicht, seit der Sache mit der Karre im Bergwerk denke ich anders über solche Ausflüge.«

»Ach was«, beruhigte ihn Peter. »Diesmal ist es etwas anderes. Hier ist sogar ein Aufkleber angebracht: Zuladung drei Personen oder zweihundertfünfzig Kilo. Da dürften wir sogar mit Just drunter liegen.« Justus hatte sich vorgenommen, auf diese Witze nicht mehr zu reagieren. Entschlossen setzte er sich neben Peter. »Vielleicht finden wir ja oben, was wir suchen.«

Mürrisch kletterte Bob hinterher. »Ihr glaubt ja wohl nicht, dass ich alleine hier unten bleibe!«

In der Gondel gab es drei Hebel: Vor, zurück und Stopp. Peter betätigte den ersten. Sofort jaulte hinter ihnen im Gebäude ein Motor auf und die Gondel setzte sich mit einem Ruck in Bewegung.

»Na bitte«, lachte Peter. »Auf geht's in die Berge.«

Die Gondel schwebte knapp über die schroffen Felskanten hinweg, vorbei an abgestorbenen Tannen und Geröllfeldern. Als sie über eine hohe Schlucht glitten, machten Bob die Augen zu. Hinter einem Felsvorsprung erblickten sie nach kurzer Zeit die Bergstation. Justus musste grinsen. »Peter, deine Kühe sind leider nur Ziegen.« Er zeigte auf eine kleine Herde wilder Ziegen, die an den Bergwänden nach Gras suchten.

»Und dann ist vielleicht auch deine Heidi nur eine alte Kräuterhexe«, setzte Bob eins drauf.

Doch Peter wollte sich nicht ärgern lassen und bremste die Gondel an der Bergstation sanft ab.

Die Sonne schien warm und es duftete nach trockenem Gras und wilden Kräutern. Gut gelaunt machten sich die drei ??? auf, um die Gegend zu erkunden. Sie folgten einem ausgetretenen Weg am Hang entlang. Von hier aus hatten sie einen herrlichen Blick über das gesamte Weingebiet. Über dem Tal lag feiner Nebel.

Nach einer Weile legten sie eine Pause ein und Justus wischte sich den Schweiß aus dem Gesicht. »Ich könnte einen ganzen Brunnen leer trinken«, keuchte er. Als ob sein Wunsch erhört wurde, vernahm er plötzlich ein leises Wasserplätschern. Durstig sprang er auf und folgte den Geräuschen den Berg hinab. Bob und Peter liefen ihm nicht weniger durstig hinterher. Einige Meter weiter entdeckten sie dann den Grund des Geräusches: Unter einem kleinen Wasserfall hatte sich ein Tümpel gebildet. Wie ein Vorhang ergoss sich das Wasser in das kristallklare Bassin.

»Wahnsinn! Genau das, was ich brauche«, entfuhr es Justus.

Sekunden später lag ihre Kleidung am Ufer und die drei ??? planschten in dem natürlichen Schwimmbecken.

»Herrlich!«, jubelte Bob, nahm einen Schluck und tauchte unter. Der kleine Tümpel schien sehr tief zu sein. Peter stand unter dem Wasserfall und wusch sich den Sand aus den Haaren. Für einen kurzen Moment war er plötzlich verschwunden, dann kam er wieder zum Vorschein. »Das müsst ihr auch mal machen!«, rief er seinen Freunden zu. »Ich stand eben direkt hinter dem Wasserfall.«

Justus und Bob wollten sich das natürlich nicht entgehen lassen. Kurz darauf standen sie zu dritt hinter dem Vorhang aus Wasser. Doch als sie sich umblickten, machten sie eine ungewöhnliche Ent-deckung.

Wassereinfälle

»Unglaublich, hier geht's in die Tiefe!«, brüllte Bob gegen das laute Rauschen an. Als sie näher hinsahen, erblickten sie eine schmale Treppe, die in den Felsen geschlagen worden war. Der Weg führte direkt in den Berg hinein. Justus ging vorsichtig einige Stufen hinunter.

»Pass auf, dass du mit den nassen Füßen nicht ausrutscht!«, rief ihm Peter hinterher. Doch lange brauchte Justus nicht zu gehen, denn der weitere Weg wurde durch eine schwere Eisentür versperrt.

»Kommt schnell runter! Ihr werdet es nicht glauben!«

Wenig später starrten alle drei staunend auf die Tür. Sie

war identisch mit der aus dem Bergwerk, trug den gleichen Spruch und war genauso verschlossen. Es war kalt im Berg. Eilig stiegen sie wieder die Stufen empor und ließen sich an Land von der Sonne trocknen.

»Jetzt ist der Fall klar«, keuchte Justus. »Darum funktioniert das Spiel nur zu zweit. Das ist garantiert die andere Seite der Tür aus dem Bergwerk und ich wette, man muss gleichzeitig von beiden Seiten die Klinke herunterdrücken.« Peter und Bob nickten begeistert. Justus fuhr fort. »Jetzt braucht nur noch einer in den Keller zu laufen.«

»Ich schlage vor, einer bleibt hier und zwei rennen durch das Bergwerk«, schlug Bob vor.

Sein Vorschlag wurde angenommen und Justus ließ Grashalme ziehen. Er gewann und durfte oben bleiben. »Ihr beiden seid sowieso die Schnellsten!«, rief er ihnen hinterher.

Dann wartete er zwanzig Minuten und wickelte seine Sachen in große Blätter ein. So wurden sie kaum nass, als er unter dem Wasserfall hindurch schritt. Mit trockener Kleidung stand er kurz darauf vor der verschlossenen Tür.

Es dauerte nicht lange, da vernahm er ein dumpfes Pochen. Gespannt drückte er die Klinke herunter. Die Tür ließ sich tatsächlich öffnen. Freudig klatschten sich die drei gegenseitig in die Hände. »Ich wusste, dass es klappt«, strahlte Bob. Peter untersuchte in der Zwischenzeit den Türmechanismus. »Eigentlich ganz einfach. Mister McMurdock hat je zwei Schlösser und Türklinken auf unterschiedlichen Höhen anmontiert. Genial.«

Doch nun standen sie vor der nächsten Aufgabe.

»Jetzt müssen wir nur noch herausfinden, was uns das gebracht hat«, sagte Justus nachdenklich. Von unten strömte aus dem Bergwerk ein leichter Wind durch die geöffnete Tür.

»Der Wind! Endlich weiß ich, was der Spruch an der Tür zu bedeuten hat!«, jubelte Bob. »*Das Licht des Tages ist des fleißigen Bergmanns Lohn. Drum atme den Hauch des Felsen Schlund.* Na klar! Der

Bergmann öffnet die Tür und kommt ans Licht. Und des Felsen Schlund ist garantiert das Monstermaul im Brunnenschacht. Wenn man die Tür aufmacht, zieht die aufgestaute Luft nach oben ab — wie in einem Kamin.«

»Aber was soll uns das sagen?«, fragte Peter ratlos. Der Zug wurde so stark, dass Staub vom Boden aufgewirbelt wurde. In diesem Moment machten alle drei die gleiche Entdeckung: Unter dem Türrahmen hatte die Zugluft die Felsen vom Staub befreit und eine kleine Steinplatte freigelegt. In der Mitte der Platte war ein Loch eingelassen. Und darin kam ein Eisenring zum Vorschein.

Ohne zu zögern kniete sich Justus nieder und zog so kräftig an dem Ring, dass sich die ganze Platte aus dem Felsen löste. In dem Hohlraum darunter erblickten sie ein eisernes Drehrad.

Die drei ??? waren sprachlos. Peter hatte eine Ahnung, was das sein konnte. »Das sieht aus wie ein Ventil.« Behutsam drehte er es wie einen Wasserhahn in eine Richtung, bis es nicht mehr weiterging. Ganz allmählich hörten sie unter sich ein fernes Tosen und Brodeln. Es wurde stärker und vorsichtshalber kletterten sie die Stufen ins Freie. Bob war als Erster oben.

»Äh, Just, Peter, ihr kommt nicht drauf, was ich hier sehe.« Der Wasserfall war urplötzlich verschwunden und das Bassin leerte sich zusehends.

»Als ob jemand den Stöpsel aus der Badewanne herausgezogen hat«, staunte Peter.

Nach wenigen Minuten war das Wasser ganz verschwunden. Jetzt erst erkannten die drei, wie tief der Tümpel in Wirklichkeit war. Und sie machten noch eine unheimliche Entdeckung: Am Grund des Beckens stand ein komplettes Schachspiel aus Steinfiguren.

»Langsam wird mir schwindelig«, stöhnte Bob. »Wenn gleich noch eine Seejungfrau aufkreuzt, zweifle ich an meinem Verstand.« Aber Peter schien eine Erklärung für das Ganze zu haben. »Ich glaube, wir haben mit dem Ventil den gesamten Flussverlauf verändert. Vielleicht gehört diese Apparatur zu einem ausgeklügelten System für die Wasserversorgung der Weinbauern. Das Becken hier dient unter Umständen als Wasservorrat für trockene Zeiten.«

Justus knetete nachdenklich seine Unterlippe. »Das klingt alles sehr logisch. Auf jeden Fall hat das Mister McMurdock dann vortrefflich für sein Spiel genutzt.«

Vorsichtig kletterten die drei Detektive in den leeren Tümpel und betrachteten die nassen Steinfiguren auf dem Schachfeld. Das Feld war größer als eine Tischtennisplatte und die Figuren waren kaum anzuheben. Bob besah sich genau die Aufstellung. Er war ein hervorragender Schachspieler. »Die Partie ist eindeutig verloren. Egal, welchen Zug Schwarz jetzt noch versucht: Der König ist Schach matt.«

»Und was macht man in so einem Fall?«, fragte Peter ahnungslos.

»Gar nichts. Das Spiel ist vorbei. Es bleibt einem nur noch übrig, den König umzukippen. Ende, Aus.«

Justus ging auf den schwarzen König zu. »Na, dann machen wir das doch einfach«, sagte er und schmiss ihn um.

Schach matt!

Er schien genau das Richtige getan zu haben, denn an der Unterseite der Spielfigur entdeckten die drei ??? ein geheimnisvolles Zeichen, das in den Stein geschlagen war.

»Merkwürdig. Sieht aus wie eine Sonne mit Punkt in der Mitte«, wunderte sich Bob. »Jetzt wird's langsam kompliziert.«

»Ich liebe es, wenn es kompliziert wird«, grinste Justus. »Wir sollten aber lieber die Figur umdrehen und die Badewanne wieder voll laufen lassen. Vergesst nicht, dass wir in diesem Spiel Gegner haben!« Das Ehepaar McMurdock hatten seine beiden Freunde mittlerweile total vergessen.

Peter übernahm das Ventil und drehte es in die Gegenrichtung. Er war so schnell zurück, dass er trocken blieb, bevor sich hinter ihm ein mächtiger Schwall von oben herab ergoss.

Die drei ??? beobachteten, wie die Schachfiguren wieder im Wasser versanken.

»Ich werde mir vorsichtshalber die komischen Zeichen aufmalen«, sagte Bob und zog die Spielanleitung und den Filzstift aus der Tusche. Auf der Rückseite zeichnete er sorgfältig die Sonne mit dem Punkt. Da das Papier etwas feucht geworden war, legte Bob es zum Trocknen auf einen Stein.

»Schritt für Schritt kommen wir der Lösung näher«, stellte Justus fest. »Unsere nächste Aufgabe wird es sein, dieses Zeichen wieder zu finden. Vielleicht ist es ein Wappen auf einem der Ritterhelme? Oder ein ägyptisches Symbol?«

Das Becken füllte sich fast so schnell, wie es zuvor leer gelaufen war. Plötzlich hörten sie von oben ein bekanntes Geräusch. »Das ist die Gondel!«, platzte es aus Bob heraus. »Ich wette, das sind unsere beiden McMurdocks. Schnell, wir sollten verschwinden!« Hastig sprangen sie auf und rannten den Berg hinauf. Doch es war zu spät. Misses und Mister McMurdock kamen ihnen direkt entgegen. Eilig versteckten sie sich in einem Gebüsch oberhalb des Wasserfalls.

»Edi, nun trödel nicht so rum! Die Bengels haben hier oben bestimmt was entdeckt. Ich spüre so etwas.« Misses McMurdock stolperte auf abgebrochenen Absätzen den Berg hinab.

»Die Schreckschraube hat uns bestimmt in der Gondel beobachtet«, vermutete Peter.

Ihr dicker Mann kam hechelnd hinter ihr hergelaufen. Als er den Tümpel erblickte, rannte er los und hielt seinen verschwitzten Kopf in das kühle Wasser. »Ah, das tut gut«, keuchte er. Dann schien seine Frau plötzlich etwas entdeckt zu haben.

»Oh, nein! Mein Zettel auf dem Stein«, flüsterte Bob und hielt sich die Hände vor das Gesicht.

Es war zu spät. Misses McMurdock hielt triumphierend die Spielanleitung in die Luft. »Habe ich es doch gewusst. Die Gören waren genau an dieser Stelle. Warte, der Zettel ist feucht. Vielleicht haben sie im Wasser was gefunden?«

Dann gab sie ihrem Mann einen Tritt in den Hintern, so dass er kopfüber ins Wasser plumpste. Prustend tauchte er wieder auf. »Mausi, bist du verrückt geworden? Ich kann doch nicht schwimmen«, jammerte er.

»Dann wird es Zeit, dass du es lernst. Such einfach irgendwas!« Hilflos zappelte ihr Mann im Tümpel und verschluckte sich mehrmals. Als nur noch eine Hand herausragte, erbarmte sich seine Frau und zog ihn wieder an Land. »Warum suchst *du* nicht im Wasser?«, prustete er atemlos.

»Weil ich auch nicht schwimmen kann«, antwortete sie wütend und warf den Zettel auf den Boden. In diesem Moment erstrahlte ihr Gesicht.

»Mist, jetzt hat sie die Zeichnung entdeckt«, wusste Justus.

Voller Schadenfreude rannten die McMurdocks zur Gondel und fuhren zurück zum Schloss.

Niedergeschlagen machten sich die drei ??? anschließend zu Fuß auf den Weg nach unten.

»Wir haben unter Umständen unseren mühsam erkämpften Vorsprung mit einem Schlag verloren«, ärgerte sich Justus. Bob war völlig deprimiert.

»Mach dir nichts draus«, tröstete ihn Peter. »Hätte mir auch passieren können.«

Ein Trampelpfad führte sie in gewundenen Serpentinen wieder abwärts. Wenig später standen sie erschöpft vor dem Schlosseingang.

Aus dem Küchenfenster duftete es nach Bratkartoffeln und Justus bemerkte seinen leeren Magen. Misses Shatterfield hatte im Speiseraum für alle gedeckt. Diesmal saß auch das Ehepaar McMurdock mit am Tisch.

»Guten Tag, Kinderchen«, wurden die drei betont freundlich begrüßt. »Ich glaube, ihr habt da was in den Bergen verloren. Ja, ja, man muss aufpassen, wo man seine Sachen hinlegt.« Misses McMurdock konnte ihr hämisches Grinsen kaum verbergen. Schweigend machten sich Justus, Peter und Bob über die Bratkartoffeln mit Würstchen her.

»Komm, Edi, wir werden jetzt das geheimnisvolle Sonnenrätsel lösen.« Mit diesen Worten standen die McMurdocks auf und verließen das Zimmer.

Sonnenrätsel

Die Detektive standen wieder am Anfang.

»Uns bleibt nichts anderes übrig, als zum zweiten Mal das ganze Schloss abzusuchen«, begann Justus und nahm sich noch mehr Bratkartoffeln.

Peter war schon satt. »Wenigstens können die McMurdocks auch nicht mehr unternehmen.«

Müde standen sie auf und wanderten entmutigt durch das große Anwesen. Von dem Flur mit den Ritterrüstungen zweigte ein weiterer Gang ab. An den gemauerten Wänden hingen historische Waffen und Ölgemälde. Fast unheimlich hallten ihre Schritte von allen Seiten wieder. Vor einem breiten Durchgang standen wieder zwei Ritter und hielten drohend ihre Lanzen über Kreuz, als ob sie niemanden einlassen wollten.

»Vielleicht sollten wir da nicht unbedingt durchgehen«, murmelte Peter. »Der Gang sieht irgendwie verboten aus.« Doch Justus nahm sich einen Leuchter und zündete die Kerzen an. »Ach was. Ist

100

doch alles nur ein Spiel. Uns kann nichts passieren.«
Vorsichtig ging Justus voran.

Doch nach wenigen Metern blieb er stehen und deutete auf den Natursteinboden. »Warte! Viele von diesen Steinen sehen sehr merkwürdig aus. Als ob sie vor kurzem angehoben wurden. Außerdem wackeln sie ein wenig. Das spürt man deutlich, wenn man darüber läuft.«

»Dann ist es wohl besser, wir treten nicht drauf«, schlug Peter vor. Justus schüttelte den Kopf. »Man kann gar nicht anders, wenn man weiterkommen will.« Peter grinste nur. »Ach was. Nichts ist unmöglich.« Er nahm kräftig Anlauf und machte einen riesigen Satz über die verdächtigen Steine. Auch Bob gelang es, ohne einen zu berühren. »Los, Justus!«, rief er. »Das schaffst du auch!« Doch Justus versuchte nicht einmal, darüber nachzudenken. Vorsichtig berührte er einen Stein mit der Hacke seines Schuhs. »Ist ja nur ein Spiel«, machte er sich Mut. In diesem Moment gab der Stein nach und ein Fallgitter aus Metall rauschte von der

Decke nieder — direkt zwischen Bob und Peter.
Erschrocken sprangen sie zur Seite.

»Das ist aber kein Spiel mehr für Zehnjährige«, stammelte Peter und stützte sich an der Mauer ab.

Auch Justus zitterten die Knie vor Schreck. »Entschuldigung, das konnte ich nicht ahnen. Ich glaube nicht, dass Mister McMurdock das eingeplant hat. Ich denke, er hat damit gerechnet, dass man auf die Steine tritt und nicht mehr weiter kann.«

Peter rüttelte wütend an dem Fallgitter. »Und wie komme ich jetzt wieder raus?«, schimpfte er.

Mit vereinten Kräften gelang es ihnen, das Gitter etwas hoch zu schieben. Dann schoben sie eine alte Holztruhe zwischen Gitter und Fußboden.

»Das hätten wir geschafft«, schnaufte Bob.

Am Ende des Ganges befand sich ein kleiner fensterloser Raum. In Regalen waren Akten und Berge von bunten Kartons gestapelt. Inmitten des Zimmers stand ein großer Schreibtisch.

»Es sieht aus, als wären wir im Arbeitszimmer von Mister McMurdock gelandet«, vermutete Bob und betrachtete die vielen Spielschachteln. Justus und Peter untersuchten den Tisch. In einer Schub-

lade fanden sie einen beschriebenen Bogen Perga-
mentpapier mit einem Siegel.

Darauf lagen drei Würfel, deren Oberseiten
Totenköpfe zeigten. Peter schüttelte sich, als er sie
eine Weile gemustert hatte. »Irgendwie ein merkwürdiges Gefühl. Vor kurzem hat der Spielerfinder
noch hier gesessen.«

Justus las vor: *Mein letzter Wille lautet folgen-
dermaßen: Hiermit ernenne ich den Notar Joseph
Cornell zu meinem Nachlassverwalter. Gezeichnet*

Edmont McMurdock. »Merkwürdig, die Notare hießen doch Dunken?«, wunderte sich Justus.

Bob war inzwischen bei den Akten fündig geworden.

»Seht mal, auf dieser Karte hat Mister McMurdock etwas aufgezeichnet. Scheint ein Grundriss vom Schloss zu sein. Sogar die Seilbahn mit dem Wasserfall ist zu erkennen. Aber Moment, das gibt es ja gar nicht: Hier sind unsere sämtlichen Stationen eingetragen! Kaminzimmer, Flur mit Rittern, Keller, Bergwerk, Gondel, Wasserfall, Schachspiel und jetzt kommt es: Weiter geht es anscheinend in der Bibliothek. So kann ich das zumindest aus seinen Pfeilen erkennen. Wisst ihr, was das bedeutet? Wir haben die Auflösung des Spiels entdeckt. Zumindest den vorletzten Teil davon — über den Rest der Zeichnung ist Kaffee oder so gelaufen und hat sie verwischt.«

»Heißt das, wir müssen nur noch in die Bibliothek und haben dann gewonnen?«, fragte Peter ungläubig.

»Wer weiß? Mister McMurdock hatte bestimmt nicht im Traum daran gedacht, dass wir in sein Arbeitszimmer gelangen — bei der Sicherheitsvorkehrung.«

Peter dachte mit Unbehagen an das Fallgitter.

Eilig verließen sie das Arbeitszimmer und machten sich auf die Suche nach der Bibliothek. Auf dem Weg begegneten sie dem Ehepaar. »Ach, die lieben Kinderchen«, flötete Misses McMurdock. »Wie schön, euch zu sehen. Gern würden wir euch ab jetzt Gesellschaft leisten. Zu fünft machen doch solche Spiele viel mehr Spaß, oder?«

Die drei ??? sahen sich kurz an und rannten wie auf Kommando los.

»Nun lauft nicht weg!«, keifte die Dame hinter ihnen her. »Edi, mach irgendwas!« Doch ihrem Mann ging schon nach wenigen Metern die Puste aus.

Im ersten Obergeschoss blieben die drei Detektive stehen.

»Die sind wir los«, lachte Bob und lehnte sich

erschöpft an die Wand. »Jetzt können wir sicher sein — die beiden tappen völlig im Dunklen.«

Draußen ging langsam die Sonne unter.

Wenig später fanden sie die Bibliothek.

»Wir müssen uns beeilen!«, rief Peter. »In einer Stunde ist alles vorbei.« Fieberhaft suchten sie den Raum ab. Überall standen Regale mit hunderten von Büchern. An einer Stelle hing ein riesiger geknüpfter gelber Wandteppich. Die Fenster bestanden aus bemalten bunten Ornamenten wie in einer Kirche. Das Licht des Sonnenuntergangs mischte sich mit den vielen Farben und ließ die Bibliothek fantastisch erleuchten.

Dann machte Peter eine Entdeckung. »Seht mal, in dem einen Fenster erkenne ich winzig klein unsere Sonne wieder. Ja, sie hat sogar einen Punkt in der Mitte.« Aufgeregt rannten seine beiden Freunde zu ihm. »Und da, über der Sonne steht etwas geschrieben: Zwölfter Juni. Moment, das ist heute.« Verwirrt sahen die drei sich an. Dann machten sie noch eine Beobachtung. Der untere

Teil der kleinen Sonne verschwand hinter einer gemalten blauen Kugel.

»Na klar!«, rief Justus. »Das soll einen Sonnenuntergang darstellen. Einen Sonnenuntergang an einem zwölften Juni — also genau jetzt.« Begeistert blickte er auf das Fenster.

Plötzlich packte ihn Bob an der Schulter. »Just! Beweg dich nicht!«

»Wieso? Hab ich eine Schlange am Bein?«

»Nein, du hast einen Schatten im Gesicht. Den Schatten der gemalten Sonne. Und auf der Nase ist der kleine Punkt.«

Erschrocken sprang Justus zur Seite, als würden Schatten weh tun. »Und wo ist er jetzt?« Sie folgten dem Lichtstrahl der untergehenden Sonne und wurden am Wandteppich fündig. »Da ist der Schatten wieder. Mitten auf dem gelben Teppich!«, rief Bob. Justus glaubte, jetzt das Rätsel gelöst zu haben. »Ich bin mir sicher. Der Schatten der Sonne gibt uns den letzten Hinweis. Wir haben heute den zwölften Juni und gleich geht die Sonne unter. Die-

ser kleine Punkt wird uns schon bald ein Geheimnis verraten. Gleich ist die Sonne ganz weg.«

Je tiefer die Sonne sank, desto höher wanderte der Schattenpunkt auf dem Wandteppich. Die drei starrten ihn gebannt an. Als dann die letzten Lichtstrahlen hinter dem Horizont erloschen, verschwand auch gleichzeitig der Punkt. Nichts geschah.

Faden verloren

»Und nun?«, flüsterte Peter. Keiner gab ihm darauf eine Antwort. Millimeter für Millimeter durchsuchten sie die Stelle, an welcher der Schattenpunkt zum letzten Mal zu sehen gewesen war. Bob zog einen der kurzen gelben Fäden aus dem Teppich. Dann einen zweiten und einen dritten. Doch der letzte wurde plötzlich länger und länger. Und er war nicht gelb, sondern golden.

»Ich glaube, wir haben gefunden, was wir finden sollten«, verkündete er den anderen stolz.

»Einen simplen Faden!«, rief Peter enttäuscht. »Dafür der ganze Aufwand?«

In diesem Moment hörten sie alle von unten die Wanduhr schlagen.

»Nur noch eine viertel Stunde«, stellte Justus entsetzt fest. Eilig rannten sie wieder hinunter ins Erdgeschoss — direkt in die Arme von Onkel Titus.

»Na, habt ihr gewonnen?«, begrüßte er sie freudig. Hinter ihm stand auch Stanley McMurdock. Der Schauspieler trug immer noch seine Sonnenbrille, obwohl es bereits sehr dunkel im Schloss war. »Euer Onkel und ich sind gleichzeitig angekommen. »Nun sagt schon! Haben wir das Schloss?« Justus knetete nervös seine Lippe. »Fast. Aber es bleibt jetzt keine Zeit für lange Erklärungen.«

Im Kaminzimmer saßen schon die drei Notare und blickten unentwegt auf die alte Wanduhr. Das Ehepaar McMurdock rannte hektisch im Zimmer umher. »Edi, noch zehn Minuten. Tu was! Mach jetzt endlich einmal irgendwas in deinem Leben!«

Misses Shatterfield stellte Salzgebäck und eine Kanne Kaffee auf den Tisch.

Peter ballte wütend seine Faust. »Das gibt es doch nicht. Wir sind so dicht davor und nun ist die Zeit vorbei.« Als Misses McMurdock das hörte, lächelte sie für einen Moment. »Ach, die Kinderchen sind auch nicht schlauer als unsereins. Na, das beruhigt mich ein wenig.« Onkel Titus nahm eine Tasse. »Ich brauche jetzt erst mal einen starken Kaffee. Das ist alles zu aufregend für mich.« Mit zitterigen Händen nahm er die Kanne und goss sich ein — doch die Hälfte ging daneben und landete auf dem Tischtuch. »Es ist nichts passiert!«, rief er sofort. »Alles in Ordnung. Ich lege einfach eine Serviette unter die Tischdecke. So!«

Als Onkel Titus das nasse Tischtuch anhob, sah Justus für einen kurzen Moment auf den massiven Holztisch. »Warte, nimm noch einmal das Tuch zur Seite!«, rief er hektisch. Im nächsten Moment hatte Justus die gesamte Decke vom Tisch gerissen. Mehrere Kaffeetassen zersprangen auf dem Steinfußboden.

Für einen kurzen Augenblick war es totenstill im Raum. Alle starrten mit offenem Mund auf die runde Holzplatte, denn sie war übersät mit eingeritzten Buchstaben.

Misses McMurdock fand als Erste die Worte wieder. »Ja, das sind die Buchstaben für das Lösungswort!«, brüllte sie durch den Raum. Sofort begann sie wie verrückt den Notaren Wörter ins Ohr zu schreien. »Hund, Katze, Maus, Banane, Fliegenklatsche, Gartenzwerg ... Edi! Sag auch irgendwelche Wörter!«

»Leise, Ruhe, Schlafen, nach Hause ...«, murmelte er vor sich hin.

Die drei ??? zogen sich zur Beratung zurück.

»Justus, was machen wir jetzt? Wir haben noch genau drei Minuten«, begann Bob ratlos.

Justus lief der Schweiß von der Stirn. »Auf jeden Fall ist es Blödsinn, irgendwelche Wörter zu sagen. Auf dem Tisch sind alle Buchstaben mehrfach eingeritzt.«

»Was ist mit dem goldenen Faden?«, flüsterte Peter. Den Faden hatten sie fast vergessen.

»Noch zwei Minuten!«, kreischte Misses McMurdock. »Klappstuhl, Diätcola, Schönheitsfarm ...« Unbeeindruckt starrten die Dunkens auf die Wanduhr. Plötzlich rannte Justus los und sprang auf den Tisch.

»Das geht nicht«, keifte Misses McMurdock. »Ich seh die Buchstaben nicht mehr.« Doch Justus hörte nicht auf sie. »Hab ich es mir doch gedacht. Hier in der Mitte ist winzig klein wieder unsere Sonne mit dem Punkt eingeritzt.« Er hatte nun keine Zeit mehr dies vor den anderen zu verbergen.

Hysterisch sprang jetzt die schreiende Frau auf und ab. Die Haare hingen ihr wirr im Gesicht. »Hier! Ich hab auch die Sonne«, krakelte sie. »Mister Dunken, sehen Sie!« In ihren Händen hielt sie die zerknitterte Zeichnung von Bob.

»Bob, schnell, gib mir den Faden«, kommandierte Justus.

»Faden? Was für ein Faden?« Aus dem Mund der Frau kam nur noch ein heiseres Krächzen. »Edi! Wieso haben wir nicht so einen schönen Faden?«

Ihr Mann stand regungslos in einer Ecke und flüsterte. »Stille, Feierabend, Freiheit ...«

Justus riss Bob den Faden aus der Hand. Er hielt

das eine Ende direkt auf den Mittelpunkt der eingeritzten Sonne. Das andere Ende führte er jetzt
wie einen Zirkel einmal um den Tisch herum.

»Bob und Peter. Schnell! Merkt euch die Buchstaben, über die das Fadenende hinweg zieht.« Bob riss den Filzstift aus der Tasche und kritzelte sich die Buchstaben auf den Unterarm.

»U, R, E ...!«, schrie Justus die ersten Buchstaben in den Raum. In diesem Moment begann die Wanduhr zu schlagen. Langsam erhoben sich die drei Notare von den Plätzen.

»K, A ...«, Justus' Hände zitterten. Langsam zog er das Fadenende weiter im Kreis herum. Die Uhr setzte zum dritten Schlag an. Stanley McMurdock nahm jetzt seine Sonnenbrille ab und stellte sich neben Bob. Onkel Titus sackte erschöpft auf einen Sessel. Der fünfte Glockenschlag war vorbei.

»H und E. Ich bin einmal herum!«, schrie Justus. Mit einem riesigen Satz sprang Misses McMurdock auf die Notare zu und landete direkt vor ihnen auf dem Bauch. »Urekahe«, quiekte sie, als würde sie ersticken. Beim vorletzten Schlag blickte der Schauspieler auf Bobs Arm. »Heureka!«, rief er mit fester Stimme. Mit dem Gongschlag war es genau neun Uhr.

Heureka!

Sekundenlang war es still im Raum. Niemand wagte zu atmen oder sich zu bewegen. Plötzlich legte Misses Shatterfield ihr Tablett ab und begann zu applaudieren. »Bravo, sehr gut. Heureka. Das bedeutet auf griechisch so viel wie: Ich hab's.«

Ihre Stimme klang jetzt merkwürdig tief. Auch das heisere Kratzen war plötzlich verschwunden. »Bravo, bravo. Wir haben einen Gewinner.«

»Die Alte kann hören?«, japste die Frau am Boden.

Dann griff sich die Haushälterin in die Haare und zog eine Perücke vom Kopf. Anschließend nahm sie die dicke Hornbrille ab und entfernte eine aufgeklebte Nase aus ihrem Gesicht. »Es wird Zeit, dass ich unser gemeinsames Spiel auflöse. Für alle, die es jetzt noch nicht gemerkt haben: Ich bin Edmont McMurdock. Das hier neben mir sind zwar die Herren Dunken, Dunken und Dunken — aber sie sind keine Notare, sondern mein Butler, mein

Chauffeur und mein Gärtner. Ich danke den Dreien, dass sie dieses kleine Schauspiel so vorzüglich mitgespielt haben.« Die Dunkens verbeugten sich tief.

»Den Rest meiner Bediensteten habe ich in den wohlverdienten Urlaub geschickt. Nun denn, ich bin Ihnen allen und insbesondere meinen beiden Söhnen Rechenschaft schuldig. Als Vater habe ich versagt — die Spielerei hatte es mir angetan. Ich habe hunderte an Spielen erfunden. Das Spiel um meine Erbschaft sollte mein Meisterstück werden.

Zwei Jahre habe ich daran gearbeitet. Diese ganzen Apparaturen mussten gebaut werden, Schachfiguren wurden im Wasser versenkt und, und, und. Das mit der Falltür war ein Versehen. Die jungen Herrschaften sollten diesen Teil des Schlosses eigentlich nicht zu Gesicht bekommen. Nun denn, zum Glück ist nichts Schlimmes geschehen. Ich konnte ja nicht ahnen, dass ich es mit so aufgeweckten Spielern zu tun bekomme. Wo war ich stehen geblieben? Ach ja. Zwei Jahre Arbeit habe ich also investiert für das letzte Spiel nach meinem Tode. Es sollte etwas ganz Besonderes werden. Und, wie soll ich es sagen ... Ich konnte es einfach nicht ertragen, dass ich dann nicht mehr beim Spiel dabei bin. Lange Rede, kurzer Sinn: Ich habe ›Im Reich der Rätsel‹ einfach vorverlegt und konnte so, als Misses Shatterfield, von der ersten Sekunde an dabei sein. Nun ist das Spiel aus. Der Gewinner steht fest. Das Schloss und mein gesamter Besitz gehen nach meinem Tode an Stanislav Leymont McMurdock.«

»Einspruch«, wimmerte Misses McMurdock von unten. Niemand beachtete sie.

»Doch ich will nicht noch mehr Fehler als Vater machen. Meinem zweiten Sohn überlasse ich all meine Geschäfte und die damit zu erwartenden Gewinne. Edward, du müsstest dann aber ins Schloss ziehen, um die Geschäfte zu leiten.«

»Was, wir sollen in diesen scheußlichen Kasten ziehen?«, keifte Misses McMurdock. »Edi, wenn du das tust, sind wir geschiedene Leute!«

»Ja, Vater, ich nehme deinen Vorschlag an«, verkündete spontan Edward McMurdock mit klarer Stimme.

Das war zu viel für die Frau am Boden. Sie blieb einfach liegen.

Im Anschluss erhielt Onkel Titus ein Kuvert mit Geldscheinen. »Ich hoffe, das entschädigt Sie für Ihre Aufwendungen«, sagte der alte Spieleerfinder. Onkel Titus strahlte, als er in den Umschlag blickte.

Stanley McMurdock ging auf die drei ??? zu. »Ich weiß gar nicht, wie ich euch danken soll.

Ohne eure Hilfe wäre ich nie Schlossbesitzer geworden. Aus Geld habe ich mir noch nie viel gemacht – ihr wisst es. Es ist gefährlich so viel Geld zu besitzen. Ihr seht, was aus einem werden kann. Der, der sich nun mein Vater nennt, ist ein gutes Beispiel dafür. Aber dennoch möchte ich euch, wie versprochen, etwas schenken. Ihr bekommt meinen roten Ferrari.«

Justus, Peter und Bob mussten sich vor Schreck setzen. Aber Stanley McMurdock hatte eine Einschränkung. »Doch ihr müsst warten, bis ihr erwachsen seid. Misses Jonas würde mich sonst einmal um die Welt jagen.«

Dann verabschiedeten sich Onkel Titus und die drei ??? und ließen die Familie McMurdock allein.

Kurz darauf fuhren sie mit dem Pick-up durch die sternklare Nacht. Es gab so unendlich viel zu erzählen, dass sie erst einmal eine Weile schwiegen, um ihre Gedanken zu ordnen.

Peter dachte an den roten Ferrari. »Wisst ihr was?«, begann er plötzlich. »Auf der einen Seite freue ich mich unglaublich auf das Auto. Auf der anderen Seite möchte ich eigentlich gar nicht so schnell erwachsen werden.« In diesem Moment fühlten die drei ??? alle das Gleiche im Herzen.

Leseprobe
Die Geisterjäger

Unter dem Dach war die Luft heiß und stickig. Der Boden war vollgestellt mit alten Möbeln, staubigen Kisten und Teppichrollen. Es war ziemlich düster. Nur durch winzige Ritzen zwischen den Dachpfannen drangen einige dünne Sonnenstrahlen.

»Hallo, ist da wer?«, rief Peter ängstlich. Bob schüttelte den Kopf. »Hör auf damit! Wer soll denn hier schon sein? Graf Dracula?«

Vorsichtig bahnten sie sich den Weg durch zahllose Spinnenweben, die von den Holzbalken herunterhingen. Bei jedem ihrer Schritte knarrten die Dielen unter ihnen. In einer Ecke standen uralte Fahrräder und ein kaputtes Schaukelpferd, in einer anderen stapelten sich verstaubte Koffer. Bob hob einen abgebrochenen Besenstiel auf und stocherte damit in einem großen Haufen mottenzerfressener Stoffreste. »Miez, miez, miez. Na, wo ist denn das kleine Schmusekätzchen?«

Etwas weiter verdeckten schmutzige Bettlaken ein seltsames Gebilde. Im Licht eines dünnen Sonnenstrahls funkelte es darunter sonderbar. Vorsichtig hob Bob die Laken an.

Peter stockte der Atem. »Oh nein, wisst ihr, was das ist? Der Kronleuchter aus der Halle. Bob, lass sofort das Laken wieder fallen! Ich will das Ding gar nicht genauer ansehen.«

Plötzlich vernahmen sie eigenartige Geräusche vom anderen Ende des Dachbodens. Justus blieb stehen und lauschte angestrengt. »Hört ihr das?«,

flüsterte er. Peter nickte. »Natürlich. Und das klingt nicht nach einer Katze. Eher nach einem Röcheln.«

»Vielleicht ein Waschbär, der sich hier sein Nest gebaut hat«, vermutete Justus. »Kommt, wir werden es gleich herausgefunden haben!«

Allmählich hatten sich die Augen der drei Detektive an das staubige Dämmerlicht gewöhnt. Dieser Teil des Bodens wurde anscheinend früher zum Trocknen von Wäsche benutzt. Noch immer hingen vergilbte Bettlaken und Handtücher an den Wäscheleinen. Vorsichtig schob Bob sie beiseite. »Da hat jemand vergessen, die Wäsche abzuhängen.« Peter wischte sich seine schweißnassen Hände am T-Shirt trocken. »Ich weiß auch, wer. Die Frau des Gärtners. Sie kam an diesem Unglückstag nicht mehr dazu. Das Zeug muss schon zwanzig Jahre hier hängen.«

Justus kombinierte weiter. »An dem Tag muss es geregnet haben, denn sonst würde niemand in Kalifornien seine Wäsche drinnen zum Trocknen aufhängen.«

Die seltsamen Geräusche waren jetzt ganz deutlich zu hören. Peter blieb stehen. »Es klingt eher wie ein heiseres Lachen, oder? Ich finde, wir haben genug gesehen.«

Unbeirrt ging Justus weiter. Dann kniete er sich auf den Boden und versuchte, unter den Wäschestücken hindurchzuschauen.

»Siehst du was?«, flüsterte Peter.

»Nicht viel. Doch, wartet. Ganz hinten in der Ecke steht eine große Holzkiste.«

Je weiter sie sich der Kiste näherten, desto lauter waren die Geräusche zu hören ...

Neugierig geworden? Mehr spannende Abenteuer der drei ???® Kids gibt's auf der nächsten Seite.

Die drei ??? Kids ... ihre großen Fälle!

Die drei ??? Kids
Rückkehr der Saurier

KOSMOS

Preisänderung vorbehalten